読んだら最後、小説を書かないではいられなくなる本

太田忠司

星海社

307

SEIKAISHA SHINSHO

はじめに

太田忠司といいます。小説家です。

一九八一年、大学四年のときに「星新一ショートショート・コンテスト」で「帰郷」という作品が優秀作に選ばれ、初めて自分の書いた小説が活字になりました。

一九九〇年、『僕の殺人』という書き下ろし長編小説が最初の著作として出版され、以後は専業作家を続けています。二〇二四年四月現在、著作は百十作（文庫化や再出版を合わせると百七十七冊）です。

作家生活も三十年を超え著作も増えていくうちに小説を書くための知識と経験も、それなりに得てきました。最近では小説の書きかたを教えるワークショップや、非常勤講師として大学で創作方法について教える機会も増えています。

この本は、主に大学で教えたときのノートを元に、小説を書くために必要なこと、知っていたほうがよいことを、まとめたものです。

最初に、この本を誰に読んでもらいたいかを明確にしておきます。

いや、本なんて誰が何を読んでもいいじゃないか、と思われるかもしれません。そのとおりです。誰が何を読んだっていい。でもこうした本は読者を想定して書かれるものです。

小説を書いてみたいと思っているけど、まだ書いたことがないひと。

書きはじめてはみたけど、どうしてもうまくできずに途中でやめてしまったひと。

この本は、そんなあなたのために書かれました。

約束します。この本を読んで実践すれば、あなたも小説を書くことができます。

そのためのノウハウを、僕が知っているかぎり詰め込みました。

もちろん、実際に書くかどうかは、あなた次第です。さっと眼を通してそれで終わり、でもかまいません。プロ作家がこんなことを考えながら小説を書いているんだな、という読み物としても面白いものになっていると思いますから。

でも、どうせなら、小説を書いてみませんか。

自分だけが書ける物語を、形にしてみませんか。

あなたには、それが可能なのですから。

目次

第一講

小説を書きたいのに書けないのはなぜか？

初対面のひとと名刺交換などをしたとき、僕の仕事を知ると、相手がこう言うことがあります。

「小説を書いてるんですか。すごいですね。じつは私も小説を書いてみたいなあと思ってるんですよ」

こんなことを言うひとの大半が本当は書く気なんてないことは、僕にもよくわかっています。ただ僕と話を合わせるために、言ってみたりしているだけでしょう。まあ、そんなことを口にするってことは、心のどこかには少しばかり「小説を書いてみたい。小説家になってみたい」という願望があるのかもしれませんが。

でもたまに、本気で小説を書いてみたいと思っていて、僕に話しかけてくるひとがいるんですよ。たまにですけどね。

あ、もしかして、あなたもですか？

だったら、この先も読んでみてください。

「小説を書いてみたい」

そう話すひとに出会うたび、僕は思います。書きたいなら書けばいいのに、と。

僕は小説を書きたいと思い、書いてきた人間です。そこには何の迷いも躊躇い(ためら)もありませんでした。だから書くことに二の足を踏むひとたちのことが、最初はよく理解できませんでした。書きたいのに、なぜ書かないのだろうかと不思議に思っていたんです。

でも、そう簡単な話ではないようです。多くのひとは小説を書きたいと思いながら書けないでいるのだと、そういうひとたちと何度か話してみてわかりました。そのひとたちが書くことに躊躇(ちゅうちょ)している理由についても、いくらかわかってきました。

僕の考察では、書きたいけど書けない理由には以下のようなものがあります。

❶創作方法に対する理解不足

「話が思いつかない」

「キャラクターが作れない」
「話を思いつけても、どう結末をつけたらいいのかわからない」

こんな理由で書くことに躊躇しているひとたちがいます。

でもじつは、そんなひとの頭の中にも書いてみたい話のタネとかキャラクターのイメージとか、ぼんやりとですが小説にしたい「思い」のようなものは存在しています。だからこそ書きたいと思っているんですね。でも書けない。

なぜなら頭にあるものをうまく言葉に変換できないでいるからです。

この本では、そうしたモヤモヤしたものを形（言葉）にする方法を説明していきます。

約束します。この本に書かれている内容を実践すれば、小説は書けます。安心して読み進めてください。

❷批評されることへの恐怖

「書いてもつまらないものにしかならないのではと躊躇して書き出せない」
「貶（けな）されるのが怖い」

「こんなことを考えてるんだと笑われるかも」

そんな思いに押し潰されて、書き出すことを躊躇っているひとも多くいるようです。

これは僕も、よく理解できます。

書いてもつまらないものにしかならないのでは、という懸念は、今でも小説を書いているときに自分が感じているものです。書いてみたところでたいして面白いものにならないんじゃないかと、そういうネガティブな気持ちが湧きだしてくるのをなんとか抑え込みながら、毎日キーボードを叩いています。

書いたものを貶されるのではという不安も、ずっと付きまとっています。小説を世に出すことを仕事にしている以上、批評や評価に晒されることは避けられません。僕だって書いたものを貶され、自分自身を貶されたように感じて凹んでしまう経験を何度もしています。これからも経験するでしょう。

貶されるより、もっと怖いこともあります。まったく何の反応も得られないことです。頑張って書いても感想をもらえない。もしかしたら誰も読んでくれていないのかもしれないと、そんな疑心暗鬼に駆られてしまうこともあります。

でも、書くことをやめようとは思いません。書きたいからです。なぜ書きたいか。それは書くことが好きだからです。

好きな小説を読んで味わった感動を、自分でも生み出してみたい。そんな思いが消えないからです。

もしもあなたが小説を書きたいと思った理由も同じものなら、躊躇いを振り払って書いてみてください。

小説は何を書いてもいい。下手とか上手いとか関係ない。破綻していても矛盾していても世間のモラルに反していても何でもいい。失敗作上等です。

自分以外の誰にも書くことを止めることなんてできません。好きなように書いてください。

ただ、それを自分以外の誰かが読んだとき、そのひとからの感想を聞かされることは覚悟してください。

ときに耳の痛いことも言われるでしょう。的外れにしか思えない感想を聞かされることもあります。予期しない悪意をぶつけられることも、ある。

それどころか、**読んでも何の反応も示してくれないで、無視されるかもしれない。**

でも、それを受け入れることもまた「小説を書く」ということなのです。

ただ誤解しないでください。「受け入れる」とは、相手の言っていることが正しいと納得することではありません。

相手の意見を拒絶してもいい。忘れてもいい。反論はお勧めしないけど、どうしてもしたいというなら喧嘩(けんか)を買ってもいい。

作品を世に出したら読者から何らかの反応があること（あるいは反応がないこと）を当然のこととして覚悟を決める。それが「受け入れる」ということです。

もちろん読者からの反応は否定的なものばかりではありません。ときに一生の宝物になるような素敵な感想をもらえることもあります。

僕がいただいた最も印象に残る感想は「**あなたの本に救われた**」です。

あなたが読んできた小説に救われてきたように、あなたが書いた小説で誰かが救われるかもしれません。そんな誰かに向けて、書いてみてください。

❸小説を書く時間がない

「書きたいと思っているんだけど時間がなくて」

これも本当によく聞く「言い訳」です。

小説を書くためにまとまった時間が必要だが、日々の暮らしの中でそういう時間を確保するのは難しい、と尻込みをしているんですよね。

でも、そんなことありません。**時間はいくらでもあります。本気で小説を書こうと思っているなら、ね。**

個人的な話をします。僕が最初の長編『僕の殺人』を書いたのは一九八〇年代の終わりでした。その頃の僕は自動車部品メーカーに勤める会社員でした。ちょうどバブル景気が真っ盛りの頃で仕事は死ぬほど忙しかったのです。残業は月に百時間超えが当たり前。土日の休日も出勤で潰れました。二日続けて徹夜して翌日も夜遅く帰ったことがあります。そんな激務の中で僕は出版できるかどうかもわからない原稿を書きつづけました。深夜、疲労で眠ってしまいそうになるのを堪えて数行書き、仕事が入らなかった休日にはずっと家に籠(こも)って書きました。そうして二年の月日をかけ、やっと長編を完成させました。

同じことをしろと言うつもりはありません。でも書きたいという気持ちがあるなら、時間を見つけることはできます。帰宅した後のちょっとした空き時間で、テレビやネットを見るのに費やしていた時間を少し振り向けるだけで、小説を書くことができます。いつもより早く起きて書くひともいます。

長編は難しいというなら短編でもOK。もっと短いショートショートでもいいです。まずは書いてみてください。そして書くことが楽しいなら、もっと長いものに挑戦してみてください。

以上三つの「書けない理由」いずれの場合でも、結局僕が言いたいことはひとつです。

とりあえず書いてみましょうよ。

書いてみれば、なんとかなります。

次の第二講で、その方法を教えます。

Note

まずは「書きたいけど書けない」の気持ちを、
「書いてみれば、なんとかなる！」に変えちゃいましょう。

---

❶「……書きかたがわからない」
➡モヤモヤした思いを言葉に変換する方法を学べば
大丈夫！

---

❷「……評価されるのがこわい」
➡反応を受け入れるのも「書く」ことの一部。
大丈夫、あなたの書いたもので救われるひとが必ずいる！

---

❸「……時間がない」
➡小説は、ちょっとした空き時間でも書けるんです！
本気ならね！

ほらほら、とりあえず書いてみましょうよ!!
そんなあなたは、第二講へ、レッツゴー!!

第二講

いきなり小説を書いてみる

これから小説の書きかたを伝授しようというのに、その最初の一歩が「小説を書け」というのでは、戸惑われてしまうかもしれません。

でも僕がまずあなたに伝えたいのは、小説執筆の実感です。小説を書くというのはこういうことなんだとわかってもらいたい。

なので、早速書いてもらいましょう。


さて、**小説を書くために必要なものは何か?**

ここでは、すごく大雑把にふたつのものを挙げます。

「文章」と「アイディア」です。

これだけあれば、なんとかなります。

このうち文章については、あなたがこれまで生きてきた中で手に入れた文章力だけでかまいません。

小説を書くためには特別な文章力が必要である、などと考える必要はありません。

小説を書くための文章力向上の方法については後に説明しますが、今は手持ちのもので間に合わせましょう。

アイディアには手持ちのものがないかもしれないので、生み出すための方法を教えます。

ここでは小説を書く作業を、**車を動かす過程**になぞらえましょうか。

その場合**アイディアとは、エンジンです。**

ガソリンに点火し、エンジンを駆動させ、車を発進させる。

まずはガソリンに火をつけましょう。

僕はよく、小説を書くためのワークショップや大学での講義で参加者や学生のひとりを指名し、即興で思いついた「**動詞**」を言ってもらいます。それからまったく別のひとに「**名詞**」を言ってもらいます。

たとえば動詞として「**食べる**」、名詞として「**眼鏡**(めがね)」が出たとしましょう。

「**食べる眼鏡**」……奇妙な言葉ですね。これがエンジンを動かすためのガソリンとなります。

もし「食べる眼鏡」なるものが存在するとしたら、どんなものでしょうか。

眼鏡が何かを食べる？
眼鏡を食べることができる？
食べるときに使う眼鏡？

こんな感じで想像を働かせることでガソリンに点火します。

そしていくつか想像した中から、面白くなりそうなもの、話を広げられそうなものを選びます。

今回は「何かを食べる眼鏡」という発想を選びましょう。

「何かを食べる眼鏡」とはどんなものか？

思いついたのは、かけている人間を食べてしまう眼鏡。怖いですね。

では次に「食べる眼鏡」が存在したらどんなことが起きるか、について考えます。こうして点火したガソリンがエンジンを動かしはじめます。

いつの間にか人間が消えていて、そこには眼鏡しか残っていない、なんてホラーめいた状況が頭に浮かびます。

その次は「食べる眼鏡」が起こしたことはその後どうなったか、について考えます。アクセルを踏み込むのです。エンジンは唸りをあげて車を疾走させます。
眼鏡をかけている人間が次々と消えてしまう。人々は恐ろしくなって眼鏡を避ける。でも目を矯正しないと生活できない。だからコンタクトレンズを使うようになる。するとコンタクトレンズのメーカーが儲かり、眼鏡メーカーはどんどん倒産していく。そう、すべてはコンタクトレンズメーカーが企んだことだったのだ……！

エンジンはついに、あなたをゴールに導きました。

以上の内容をまとめてみましょう。

『食べる眼鏡』

人間が突然消えてしまう事件が起きた。ついさっきまでそこにいたのに姿が消えて、そこには眼鏡しか残っていないのだ。

そんな事件が次々と起こった。消えたひとに共通するのは全員眼鏡をかけていたことだけだった。警察が調べてみると、残っていた眼鏡はすべて、ある眼鏡屋がびっくりするほど安い値段で売っていたものだった。

刑事は問題の眼鏡屋に赴いた。店主は怯えながら、

「じつは、あの眼鏡はある業者が持ち込んできたものなんです。卸値が通常よりずいぶんと安いので仕入れました。でも事件を知ってあわてて連絡を取ろうとしたんですが、行方不明なんですよ」

と、説明した。その怪しげな業者は、とうとう見つけることができなかった。

その後も眼鏡をかけた人間が消える事件が続発した。人々は眼鏡自体に恐怖を感じ、誰も眼鏡をかけなくなった。

「計画は成功したな」

「はい。もう誰も眼鏡をかけていません」

ある場所で、ある会社の社長と専務がそんな会話を交わしていた。

「これで我々の天下だ」

「我が社の売上はウナギのぼりですよ。万々歳です」

「よしよし」

社長は満足げにうなずくと、自社製品であるコンタクトレンズを眼に装着した。

これで小説が完成しました。

作品としての出来不出来は今は問わないでください。これは即興で書いたものですから。僕自身いろいろと手直ししたい箇所はありますが、あえて原型のままここに掲載します。

関連のない単語を組み合わせて奇妙な言葉を作り、そこからストーリーを考える。

これを実際にやってみてください……と、いきなり言っても難しいでしょうね。まず無関係な単語を選ぶのが結構面倒です。先の例では動詞と名詞をそれぞれ別のひとに考えてもらいましたが、ひとりでそれをやると、どうしても関連した単語を思いつきがちなんですよね。

その問題をうまく解決したのは、ショートショート作家の田丸雅智（たまるまさとも）さんです。**田丸さんの著書『たった40分で誰でも必ず小説が書ける　超ショートショート講座　増補新装版』**には、タイトルのとおり今まで小説を書いたことがなかったひとでも、実践すれば小説が書けてしまえる方法が記されています。アイディア創出の仕組みは僕が説明したものとほぼ同じですが、この本で書かれている方法はとてもシンプルで初心者にも取り組みやすいものです。僕もワークショップなどでは田丸さんに了解を得た上で、そのメソッド（手法）を利用させてもらっています。

と、この流れだと肝心の田丸メソッドを紹介するべきでしょうが、それは発明者である田丸さんの本を読んでみてください。ここでは僕なりに考えた方法を説明します。

といっても、そんなに難しいことではありません。

新聞、本、ネットの文章、なんでもいいです。目の前に開いてください。そこから名詞を五つ、拾いだしてください。

なるべく似通ったところのない名詞がいいですね。似たような名詞しか見つからなかったら、別の文章から選びます。

次に別の新聞記事や本のページなどを開いて、今度は修飾語を五つ、拾いだしてください（先の例では「動詞」を考えてもらいましたが、名詞を説明する言葉なら何でもいいので）。

こちらもできるだけ似ていない単語がよいでしょう。

例として、ネット記事から適当に選んだものをここに列挙してみます。

〔名詞〕
記者　お茶　配信　入門書　寿司
〔修飾語〕

働く　踊る　予想が立てにくい　失敗する　寂しい

次に「修飾語＋名詞」の並びでそれぞれの単語をランダムに組み合わせ、書き出してみます。

「踊る寿司」「働くお茶」「予想が立てにくい記者」「寂しい配信」といった奇妙な言葉が生まれました。

この言葉たちをじっくりと眺め、面白そうだと思った言葉をひとつ選びます。「面白い」の基準はあなた次第です。どうしても選べなければ、眼をつぶって一、二の、三、で指差してもいいです。

ここでは「踊る寿司」を選んでみましょう。この言葉をまたじっくりと眺め、それがどのようなものであるかを想像してみてください。**想像のコツは「名詞＋修飾語」と順番を入れ換え、単語の間に助詞を挟んで主語と述語の形にしてみること。**たとえば、

「寿司が踊る」「寿司と踊る」「寿司で踊る」「寿司も踊る」

「寿司が踊る」なら、寿司が皿の上で踊ったり歌ったりする。「寿司と踊る」なら回転する寿司と一緒に踊る夢を見る。「寿司で踊る」なら一時期話題になった寿司店で不謹慎なことをする動画配信者みたいなことをする。

発想は馬鹿馬鹿しくていいです。思いついたことを書いてみてください。

それが書けたら思いついたものを**発端**として次に何が起きるか、その**経緯**を想像してください。

「回転する寿司と一緒に踊る夢を見る」という始まりなら、そんな夢を見るのは一回きりなのか、それとも何度も見るのか。見るのは自分ひとりなのか、他のひとも見るのか。その夢を見た後の気分は楽しいのか、辛いのか、あるいは夢の原因を知りたくなるのか、そんなことを考えていきます。

この例では「寿司と踊る夢を見た後、どうしても寿司を食べたくなって寿司屋に飛び込むが、食べる前に店の中で踊りだしてしまって食べられない。踊っている客は他にもいて大混乱になる」という流れを考えてみました。

「発端」「経緯」と来て、次は「**決着**」です。事態はどのような終わりを迎えるのかを考えます。

大事なのは「経緯」から何らかの変化をさせることです。
変化のパターンはふたつ。
悪いことが起きたなら、何らかの方法でそれを解決する。
良いことが起きたなら、副作用として悪いことが起きる。

例に出した「寿司屋で踊ってしまって寿司が食べられないひとが続出する」というのは、悪いことですよね。その悪いことを解決するには、どうしてそんなことが起きるようになったのかを考えなければなりません。

もしかしたら集団催眠みたいなもので操られているのかもしれない。

それを仕掛けたのは寿司屋自身だろうか。

寿司屋に行きたくなるような催眠術をテレビCMを使って全国に流したのかも。

でも何かの手違いで客がみんな踊りだしてしまったのだとしたら。

「踊りだしたくなるくらい美味い○○寿司に行こう！」というCMを放送したら、催眠術にかかったひとたちは寿司屋で踊りだしてしまうようになった。

以上の流れをまとめてみます。

『**踊る寿司**』


夢の中に回転寿司屋が出てきた。僕はなぜかそこで踊っている。

翌朝眼が覚めたら、どうしても寿司屋に行きたくなった。

我慢できずに飛び込んで、いざ寿司を食べようとしたけど、それよりも先に体が勝手に踊りだして席にもつけない。

見ると他の客もみんな店の中で踊っている。

「踊りだしたくなるくらい美味しい○○寿司！」

店内にそんな歌が流れている。そういえばテレビでこの歌を使ったCMを見た。夢を見たのはその後だった。

次の日、テレビニュースでこの騒ぎのことが放送されていた。寿司屋のCMソングには聴いた者を自在に操る催眠音波が使われていたらしい。ニュースキャスターは続けて言った。

「催眠術の効果は三日で消えるそうです。それまで寿司は控えてください」


ところどころ、小説っぽく体裁を整えています。それが難しいようなら、思いついたことだけをただ書きつらねてもいいです。
あなたも、この例に倣って書いてみてください。
書けたなら、僕から「おめでとう」の言葉を贈ります。
おめでとう。これであなたは小説家になりました。
小説を書いたひとは、みんな小説家です。
もちろんプロではありません。でも小説家を名乗って問題ありません。
もう一度、言います。小説を書いたあなたは、もう小説家です。

Note

小説にとって「アイディア」はエンジン!
まずはエンジンをかける練習を!

【練習 1】

「動詞」と「名詞」を挙げてくっつけてみましょう。
(cf.『食べる』+『眼鏡』)
→面白そうな想像を膨らませる=ガソリンに点火!
→どんなことが起きるか考える=車が走り出す!

【練習 2】

「修飾語」+「名詞」をネットや本からランダムに拾って組み合わせてみる
→「発想」を書き出して、主語+述語の形にしてみましょう。
→「発端」を考えてみましょう。発想から、まず何が起こりそうですか?
→「経緯」を考える。発端からの流れはどんなでしょう?
→「決着」を考える。「マイナスからプラス」「プラスからマイナス」がポイント。

さあ、いますぐ短編を書いてみましょう!
単語を拾うことからはじめましょう、
驚くほど、いますぐ書けちゃいますよ!

担当編集さんの実作例

ここまでの原稿を読んだ担当編集の前田さんが、「いきなり」小説を書いてくれました。第二講の練習の流れに沿って、どのような発想のプロセスだったのかもメモしてくれたのですが、その内容が面白かったので、実作とともにご紹介いたします。

発想の流れのメモ

❶言葉をランダムにピックアップ

［名詞］
クレーマー　弓　トレーナー　爪切　守護霊　枕投げ
［修飾語］

無垢　たくましい　降りしきる　遺伝子組み換えの　ことなかれ主義の　見逃す　怪我をする　譲り合う　黙る

❷修飾語＋名詞の関係をつくる

「ことなかれ主義の守護霊」「クレーマーと譲り合う」「たくましい爪切」

❸発端を考える

〈私に守護霊がいることがわかった〉

❹経緯を考える

〈ことなかれ主義で頼りにならない〉

❺決着を考える

〈意外とうまく解決してくれる〉

❻実作

『ことなかれの幽霊』

「占い」にやってきた。

　人気のある占い師なんだと思う。粘ってようやく取れたのは、深夜の予約枠だった。前のひとの相談が長引いてて、なかなか私の順番が呼ばれない。

　待合室はすこし薄暗くて、お香の匂いがうっすら漂う。奥にビロードの布がかかった扉がある。いかにも、というインテリアだ。

　待ちくたびれたのもあって、どんどん気分が落ち込んでくる。あー、なんで占いなんて来ちゃったんだろう。たしかに私はちょっとした悩みごとを抱えている。だけど、よく考えたら、私、そんなの信じるタイプじゃあない。なのに。あーこんなことなら友達に愚痴を聞いてもらうんでもよかった。でも女友達にも話しにくい話題ってあるし、今回のは割とそれなんだよなあ。

　予定の時間から20分オーバーしたところで、ようやく私の名前が呼ばれた。

＊

「ずいぶんお待たせしてしまって、すみませんね」

「占い師さん、じつは最近……」

「いやいや、お待たせしましたからね、夜遅いですし、あなたの時間もあるでしょうから、結論からいきましょう」

「え、あ、はい」

　いやそういうことじゃない気がするんだけどな、と思いながら、固唾を呑む。占い師は、深く頷きながら言う。

「困ったことに、悪化します」

「えっ」

「水晶を覗くまでもない。あなたはトラブルを抱えている、それは悪化します。困ったことです」

「ちょっ、ちょっと待って」

「私は、全部視えた上で結論を言っています。あなたは恋愛トラブルを抱えている。具体的には、ストーカーかなにか」

ずばり、である。

占い師さんにとっては、ありふれたケースなのかもしれないけど、にしても、だ。私は急いで状況を説明しようとする。

「そ、そうです。サークルでちょっと仲良くなったかな、くらいで、一回お茶に行ったら、なんか急に面倒くさいを通り越してきたっていうか。いえ、ストーカーっていっても、ほんとうにヤバいかは微妙で、いまのところは、めんどくさいな、と、ヤバいな、の半々くらいなんですけど……」

「悪化します、と言ったでしょう、悪化するんです、困ったことに」

「あ……」

がーんときて、そしてがっくりする。もうちょっと手心が欲しかった。

私のがっくりが伝わったのだろうか、占い師さんの声色も、事務的な声色から、少し元気づけるような感じに変わる。

「だけど、あなたに心配はいりません。大丈夫、大丈夫よ！」

「気休めならいりません」

「気休めじゃないわよ、ほんとにあなたは大丈夫！」

「え……」

「だって、あなたには、守護霊がついてる」

まじで。守護霊とかそういうの視えちゃう系の占い師さんなんだ。視えちゃう系というか、そういうの言っちゃう系なんだ。

占い師は、私の背後の虚空を見つめながら、告げる。

「しかも、なんていえばいいのかしらね、私も知ってはいる守護霊だけど、よく知らない守護霊っていうのかしら、まあそうね、ディリジェントな守護霊くんよ」

「ディリジェント？　真面目？　っていうのはどういうことですか？」

「そうね、特にあなたには説明しづらいんだけど、ここから先は私の範疇じゃないの。範疇というか、管轄というか……こういう場合はね、直接話した方が早いのよ」

「えっ」

「1の2の3！　はい、あなたは守護霊くんと会話ができるようになりました！　ほら、うっすらとなら視えるでしょ、以上！　お帰りはお気をつけて！」

「えっえっ」

＊

というわけで、私の帰り道は、2人になった。

「霊」を「人」で数えるならね。

深夜の帰り道である。占い師は、タクシーのワンメーター分くらい割引してくれたけど、家まで歩けなくもないから、節約する。

まっくら夜道、お先真っ暗。

「ねえ、私は恋愛トラブル相談に行った、そうよね？」

「そのとおりです」

「で、なんで霊と一緒に帰ることになんのよ。それがトラブル解決になるわけ？　あなたは私になにをしてくれるの？」

「そうですね、できればなにもしたくないですね」

「なにそれ」

「インセンティブがないんですよ、守護霊って。あなたを守ることで僕らにいいことがないんです。霊界にノルマとかないですし」

こいつ、終わっとる。どこがディリジェントじゃい。

「一度視えるようになると、もう視界から消せないわけ？」

「まあそうですね」

「なんてこと」

「けどまぁ、これは仕方なく、多少の義務感で、一つお伝えしますと、いま、われわれ尾行されてます」

「えっ」

「ほら、あいつが例のでしょ。反対側の歩道、俯いて歩いてるようだけど、ちらちらこっちを見てます」

＊

私の帰り道は、3人になった。

「ストーカー」を「人」で数えるならね。

ストーカーっていっても、ほんとうにヤバいかは微妙で、いまんところは、めんどくさいな、とヤバいな、の半々くらいのあいつが、私を尾行してるってことは……。


「……ヤバいの確定じゃん。最悪すぎる。あの占い師の言うとおりってのも腹立つわ」

「いや、占いに行ったの正解じゃないですか。悪化すると予告されていたのに、すぐに心の準備をしなかったあなたが悪い」

「あーもう、で、守護霊くん、どうしてくれるのよ、てかどうしたらいいのよ」

「まぁ、ダッシュで逃げるのもいいですが、でも逃げたら相手を刺激するかもしれませんね」

「なるほど」

「ほら、反対側の歩道、ほかにも会社員が一人歩いてますよ、流石にそれで襲ってはこないでしょう」

「ふーん」

「交番ってこの辺なかったでしたっけ？」

ダメだこいつ、仕事する気がない。

というか、仕事だと認識してないっぽい。守護霊マイナス守護は霊なのよ。霊っていうか零。意味なし。少年マンガばりの霊能アタックを期待した私が馬鹿だった。

がっかりを通り越した私に対して、守護霊くんは淡々とまくしたてる。

「ま、でも、交番行っても、めんどくさいだけですよ。警察は何もやってくれないです。なのに個人情報だけ聴取されますから、いいことないです。そもそも、まだストーカーって決まったわけじゃないですか？」

＊

くっ、じぶんでなんとかしなきゃ、と思ったその矢先、あいつがこっちに向かってダッと走ってきた。距離を詰められる。

「ほらやっぱり、ヤバいヤバいヤバい、どうすんのよ」

「話せばわかるんじゃないですか？」

「そんな風には見えないでしょ。って、きゃあああ」


あいつがもうすぐそこまで迫ってきて、私を倒そうとしてくる。

「たすけて！」

私は、思わず持っていたバッグで思い切り殴りつけようとする。と、守護霊くんも叫ぶ。

「待った！　待った待った！　それはダメです。いま殴ると、打ち所が悪く、相手が死亡してしまいます。霊にはちょっとだけ未来がみえますので」

「未来がみえるなら、尚更なんとかしなさいよ！」

とっくみあいになりながら、守護霊くんに向かって叫ぶ。

「ＯＫＯＫ、わかりました。というか、困るんですよ。こういうことになると。僕が担当する人間がこんなトラブルに巻き込まれるなんてなあ、相手方のにちょっと話してみます」

「あ、相手方？」

「そうです、このストーカーくんにも守護霊はついてるんですよ。そいつと調整してみます」

そういうと守護霊くんはすーっと姿を消したかと思うと、私を押し倒そうとしているストーカーは、俄に我に返ったようになった。

「……あ、あれ、俺は一体」

＊

私の帰り道は、また2人になった。

ストーカー野郎は、我に返り、何が何だか分からない様子だったが、形ばかりの謝罪をして、帰っていった。私は守護霊くんから訳を聞く。

「調整って、なにをしたのよ？」

「いやまあ、そういうのはお互いのためになりませんよって」

「お互いのため？」

「なんていうか、守護霊の世界ってノルマもインセンティブもないんですが、担当している人間が悪事を働くと、マイナス査定にはなるんです」

「ほー」

「なので、こういうことを放置すると、あなたもマイナスになりますよって。ついでに、あなたの上司にも、わたしの上司を通じて、色々相談させていただきますよって」

「で、解決した、と」

「言ったでしょう、できればなにもしたくないって」

ディリジェントというか、ことなかれ主義な守護霊だ。

「なんだか、随分お役所なのね」

「ま、向こうの上司ってのは、さっきの占い師についてる霊なんですけどね。ほんと、お役所です、困っちゃいますよね」

こわ。

【編集担当コメント】

第二講の「新聞や雑誌から単語を拾う」という太田さんのメソッドを実直に試してみたところ、自然と自動的にアイデアが生まれたので、魔法にかけられたような、とても不思議な感覚です。至らない小説ですが「読者の方にとってすごく参考になるから」と掲載の提案をしてくださった太田忠司さんに感謝の言葉もありません。ぜひこの新書をいま読んでいる皆様が、「いますぐ」小説を書かれるきっかけになれば、という想いでいっぱいです。

【講評（太田忠司）】

○とても面白く読みました。
○題材の選び方、面白いです。よい単語を選びましたね。
○単語選びからすると、ストーリーが想像できそうでいて、すこし予想からズレていく。
　そこが面白いと感じました。
○台詞回しがなかなか軽妙で、読みやすく書けています。

○もしも手直しするとしたら……

●霊に未来が見えるとしたら、襲われる前に注意喚起できますね。だとしたらその前に「彼、襲ってきますね」という予言をさせておいて、霊の能力を先に情報提示するほうが辻褄も合いますし、わかりやすいです。

●相手の守護霊をどのように説き伏せたのか、また相手の守護霊はどのようにストーカー行為を止めさせたのか、というところの説明が省略されています。説明を加えても良いし、省略したままでも、むしろ面白くできるポイントかもしれませんよ。たとえば……「(主人公側の)守護霊がスッと姿を消すと、ストーカーの表情は怯えたような表情になり、走って立ち去った」「どうしてそんなことができたんですかと尋ねると、まさかあなたにそんなの教えられませんよ、と答える」など。

○小説って、書き上げると快感がありますよね!

○このふたりで、まだ続編が書けそうですよ。ぜひ、いろいろ試してみてくださいね。

第三講

アイディアを練る

前講で小説を書くために必要なものとして「文章」と「アイディア」を挙げました。このふたつが揃っていれば、とりあえず小説を書くことはできます。

ここではアイディアの発想法について、さらに詳しく説明します。


アイディアとは何か？


直訳すれば「考え、着想、発想」ということになるでしょう。

ここでは端的に「**今まで自分の中になかったものを思いつくこと**」とします。

新しいものを作るためには、今までにないユニークなアイディアが必要となる。でもそんなアイディアをどうやって考えたらいいのか。多くの初心者がここでつまずいてしまうようです。

じつは、そんなに難しいことでもないのです。

なぜなら、**アイディアの元となるものはすでにあなたの中に存在している**からです。


アイディアの元、それはあなたの持っている知識や経験などです。

前講の車を動かす例で言えば、これらはガソリンになる前の**原油**のようなものです。有用なものをいろいろ含んでいますが、現状ではまだ使い物になりません。

だから**原油を精製する**ように、磨かなければなりません。

前講では単語を選び出す作業が、それに当たります。

次に必要なのは、**ガソリンに火をつけるための刺激**です。

同じく前講では、無関係な単語を組み合わせて奇妙な言葉を作り出しました。どれも違和感を覚えさせるものばかりだと思います。

そう、ガソリンに火をつけるものとは、その「**違和感**」なのです。

おかしい。どこか間違っている。どうもしっくりこない。そんな感覚がアイディアを生み出す源泉です。

何かおかしい。
では、そのおかしなことの理由は何だ?
このおかしさを解消するにはどうしたらいい?
このままおかしさが続いたら何が起きる?

そんなふうに発想を広げていくと、そこに物語が生まれるのです。

これは何も小説だけに限ったことではありません。人間が発明したもの、新しく発見したものはすべて、この違和感からアイディアを得ています。車輪も蒸気機関も進化論も量子力学も、誰かが感じた違和感が生み出したものです。


誰かに思い出話をすることを想定してみてください。

思い出とは多くの場合、自分が感じた違和感の記憶です。

どうして、あんなことになったのか。

あのひとは、なぜあんなことをしたのか。

そうした違和感を他者にも理解できる物語にして届けるのが思い出話です。

それを自分の記憶ではなく、頭の中で生み出したもので語る。それが小説です。

前講で違和感のある言葉から小説を作り出したのは、言ってみれば架空の思い出話を語ったようなものだと思ってください。


しかし、この方法にはひとつの限界があります。

奇妙な言葉から生まれる小説は奇妙なものでしかない、ということです。

「食べる眼鏡」「踊る寿司」「曲がった弟」「かわいそうな数式」「壁掛け道路」……いくつでも違和感は生み出せますが、そこから出てくるのは突飛な物語ばかりになってしまいそうです。

そういう小説が好きなひとならいいのですが「いや、自分はそういう小説を書きたいんじゃない。もっと違うものを書きたいんだ」というひともいるかもしれない。そちらのほうが多いかもしれませんね。

でも、安心してください。奇妙な小説ばかり書いていても、それは必ずあなたの役に立ちます。

なぜなら、**違和感を元に小説を書くことを続けていけば、日常の生活の中で違和感を覚えたときに、それをきっかけにして小説を書くことができるようになる**からです。

暮らしの中で、これはおかしい、こんなことってあるの？　と思うこと、ありますよね。小説は、そういう違和感からも生まれます。いや、そういう違和感からこそ生まれるものなのです。

僕を含め小説家と呼ばれるひとたちは、日常の違和感を書くきっかけにしています。何か心に引っかかることがあったら「これでひとつ書けないかな？」と思ってしまう。そうしたことを習慣にしているのです。

そうした習慣を会得してもらうために、今回は強制的に違和感を生み出し、それから小説を書く練習をしてもらっています。

言ってみればこれは、**小説を書く筋肉を鍛練するための筋トレ**です。トレーニングを続ければ、望むことができるようになります。

地道に筋トレを続けながら、自分なりの違和感を見つけてそれを小説にすることも試してみてください。


「日常の違和感」といっても、それがどんなものかピンとこない、違和感なんて覚えないと言うひともいるかもしれません。

以前、小説を書いたことがないひとに、

「小説を書くひとって、やっぱり特別な体験をしているんでしょうね。私なんて毎日同じことの繰り返しみたいな生活をしているので、小説なんて書けませんよ」

と言われたことがあります。

でもこれは大きな間違いです。小説家だって普通の生活をしています（もちろん、そうでないひともいますが)。

小説家が他のひとたちと違っているとしたら、日常の中でもネタとなるものがないか、常にアンテナを張っているところです。

世界を見るための解像度を高くしている、と言い換えてもいいでしょう。

たとえば、あなたが毎日同じ電車やバスに乗って学校や会社に通っているとしましょう。代わり映えのしないことの繰り返しで刺激もなく、小説にできるような変わったことなんか何もない、と思っているとしたら、それは世界を見る眼が少しばかりぼやけています。

電車であなたの隣にいるひとは、毎日同じ人間でしょうか。違うはずです。

窓から見える景色は、ずっと変わらないでしょうか。違いますよね。

そうした違いに敏感になること。それが解像度を上げるということです。

(今、思ったんですが、もしも毎日あなたの隣に同じひとがいたり、季節が変わっても見える景色が同じだとしたら、これはまた別の違和感がありますよね)

テレビやネットで見聞きしたことも、もちろん違和感のタネになります。

もしアンテナに引っかかるようなものがあったら、自分がなぜそれに違和感を覚えるのか考えてみてください。小説を書くための筋トレを続けていれば、こうした違和感からもガソリンに火をつけて、小説を生み出すことができるようになります。

もうひとつ、日常からアイディアを引っぱり出す方法を教えましょう。

締切りを設定された小説を書く場合など、すぐにはアイディアが浮かばないことがあります。というか、そういうことのほうが多いかもしれません。

そんなとき、僕が思い出すのが、シンガー・ソングライターのさだまさしさんがアイディアを見つけ出す方法として語っていた言葉です。

「自分の中に釣り糸を垂れる」

自分の心を探って、何か引っかかるものを探り出す、ということだと僕は解釈しています。

これもいきなり実行するのは難しいかもしれません。そのための鍛練が必要です。

先にアイディアの元とは持っている**知識や経験**だと書きました。

知識はひとによって持っている量や種類は異なりますが、**知識自体には普遍性(ふへんせい)があります。**誰にとっても水とは酸素と水素が化合してできたものです。

経験はそれに対して、それぞれ持っているものが違うという点で独自性があります。

水で溺れたひともいれば、水がなくて脱水症状を起こしたひともいる。故郷で清流を見て育ったひとも、洪水で家を流されたひともいる。経験には様々な語りかたが可能ですが、それを経験したことがない他者に伝えるのが難しい。

一方で普遍性のある知識は共有が容易です。ただし誰でも同じことしか語れません。独自の小説を作るためには、まずこの**知識**を取っかかりにしましょう。

リンゴを思い浮かべてください。どう説明しますか？

赤い。甘い。酸っぱい。木に実る。そんな言葉が思い浮かびます。

では、リンゴについてあなたはどんな**経験**をしていますか？

好き。嫌い。お祖母ちゃんが剝いてくれた。リンゴ狩りに行った。とても美味しいリンゴを食べたことがある。などなど、いろいろあると思います。

この経験の中で気になること、強く印象に残っていることを抽出します。

リンゴが嫌いになったのは酸っぱいから。子供の頃に食べて吐き出して、お祖母ちゃんに叱られて悲しかった。そんな経験があったとしましょう。この「悲しかった」が経験の核です。

リンゴが悲しい。悲しいリンゴ。

大好きだったお祖母ちゃんに叱られた悲しさ、という独自の経験を、誰とでも共有できるリンゴを入口に語ってみる。これだけでもエッセイの題材として成立しますね。それでもいいのですが、小説として昇華（しょうか）するためには、もっと想像を広げることが必要です。酸っぱかったから吐き出したと言えずにお祖母ちゃんに叱られた。そのことがずっと心のしこりになっている。今からでも言い訳したいけど、お祖母ちゃんはもうこの世にいない。そんな心残りがあるのだとしたら、その先にどんな展開を望みますか?

僕なら主人公に、お祖母ちゃんのお墓へリンゴをひとつ持って行かせます。そして墓の前でリンゴを全部食べさせます。今なら吐き出さずにリンゴを食べられることをお祖母ちゃんに伝えるために。

さらに想像を膨らませられるなら、リンゴを起点に次のエピソードを考え、物語を進めていくことができるでしょう。泣ける話にも怖い話にも突拍子もない話にだってできます。

リンゴひとつあれば、物語はいくつも作ることができるのです。

小説家がよくされる質問のひとつに「この作品のテーマは何ですか?」というものがあります。

どうも小説というのは最初にテーマとなるものがあって、それを主張するために書かれているように思われているようです。

でも、そんなことはありません。少なくとも僕はテーマが先にあるような小説を書いたことがない。これまで説明してきたようにアイディアを思いついて練り上げて書いているだけです。だからその手の質問が来たときは**「テーマなんて考えてません」**としか答えられませんでした。

でもこれは何年も小説を書き続けているうちに気づいたことなのですが、僕の作品にもテーマはあったのです。それは作家の心に内在しているがゆえに僕自身にもよくわからないでいたものでした。アイディアから物語のプロットを組み、実際に書き進めていくという作業をしている間ずっと、僕を前に進めてくれた力です。小説を書くという暗中模索（あんちゅうもさく）の最中、ずっと行く先を照らしてくれる**松明（たいまつ）**です。ただその松明はあまりに当たり前な存在であるがゆえに、作者自身にもあまり自覚されないことがあります。むしろ小説のテーマを見出すのは読者や評論家の仕事かもしれません。

ここからはそのテーマと、それに付随してモチーフ、コンセプトの話をします。

テーマ（theme）とは何か。

一言で言えば、それは小石です。

それを投げることで、水面（読者の心）に波紋を生じさせるもの。

小石ですから、とても単純でありふれたものです。たとえば「正しさとは何か？」とか「人を愛することの意味」とか「犬はかわいい」とか。読者の心に波を立てるものなら、どんなものでも小石（テーマ）になります。ミステリであれば謎とその解明もテーマと考えていいでしょう。

テーマはアイディアを思いついたとき、その中に潜んでいることがあります。だからアイディアを練って物語として熟成させていく過程で明確になってきます。

モチーフ（motif）とは一般に「創作の動機となるきっかけ、事物」を指します。

テーマを小石にたとえた場合、「どうしてその小石を選んだか？」がモチーフと言えます。河原に無数にある石の中からこのひとつを選んだ理由です。

その小石で何が表現できるか？

なぜ明治時代を舞台に選んだか？　なぜ同性の恋愛を書こうと思ったか？

それがモチーフです。

テーマもそうなんですが、モチーフも基本は作者だけがわかっていればいいことなので、作中でわざわざ「これがモチーフです！」とわかるような書きかたをする必要はありません。いや、書いてはいけません。野暮（やぼ）です。インタビューで尋ねられたら答える程度のものです（僕は自分の地元である名古屋を舞台に小説を書くことが多いのですが、そのせいで「なぜ名古屋を舞台に小説を書こうと思ったのか？」と尋ねられることが何度もありました。その都度、僕は質問者に「なぜ名古屋が舞台ではいけないのでしょうか？」と尋ね返しました。そういう質問が出てくるような状況——もしも東京を舞台にしていたら、こんな質問をされることはなかったと思います。それだけフィクションの世界でも東京の一極集中は揺るぎないものになっています——に一石を投じたいという気持ちがあったのです）。

モチーフは物語を構成していくために重要な役割を果たします。作家はモチーフを意識することで物語をより意味深く、魅力的に描写することができるのです。

コンセプト（concept）とは「基本構想」のことです。

これも小石になぞらえるなら、コンセプトは「小石の投げかた」です。

自分が書こうとしているものを誰に届けるのか？　どのように届けるのか？　読者の心にどんな波を立てるのか？

テーマとモチーフをより良く生かすための戦略、と言ってもいいでしょう。

たとえば「友情」をテーマに小説を書くとします。その場合、モチーフが「友情が困難を克服する様を描きたい」というものだったとするなら、テーマとモチーフを生かすために「学生時代の親友同士が敵味方に分かれて戦わねばならなくなる。ふたりはこの戦いを終わらせようと努力する」というコンセプトを立てます。

これも作家の中だけでわかっていればいいものですし、テーマやモチーフ同様、作家自身が自覚しないまま書いていることも多いのです（僕も、そうです）。

でもテーマから先に考えて書こうとする場合もあり得ます。あるいはモチーフやコンセプトについて自覚的であったほうが書きやすいというひともいるかもしれません。

そういう場合には、テーマ、モチーフ、コンセプトの違いと役割について知っておくと創作に役立つでしょう。

Note

第二講の【練習】は、
じつは世界を見る解像度を高くする「筋トレ」！

自分らしいアイディアから小説を書くためにも
必要なトレーニング。

あなたの持っている知識や経験＝アイディアの元＝原油
（前講での）単語を選び出す作業＝アイディアの抽出＝原油の精製（ガソリン）
単語の組み合わせの奇妙さ＝刺激となる「違和感」＝着火

奇妙な単語の組み合わせから「違和感」を描く練習を続けていくと、いつしか自分の日常の「違和感」からも小説を書けるようになる！

テーマ（theme）＝読者の心に与える波紋＝小石
モチーフ（motif）＝創作の動機となるきっかけ、事物＝小石を選び出した理由
コンセプト（concept）＝誰にどのように波紋を投げかけるか＝小石の投げかた

こんなふうに「アイディア」を分けて考えると、
自分の書きたいアイディアを見つけながら、
小説を書いていく道を照らしてくれる松明になりますよ！

第四講

文章力を鍛える

小説における文章は、大きく分けてふたつの種類があります。

会話文と地の文です。

会話文は登場人物たちが話している言葉を文章にしたもので主に「」で囲んで表記しています。そして地の文は会話文以外の文章を指します。

それぞれについて、気をつけるべき点が違います。ここではその説明をしていきます。

ひとりごとを言っているシーンなら別ですが、たいていの場合会話はふたり以上の登場人物の間で交わされるものです。

なので**会話文において最も注意すべきなのは、そのセリフを語っているのは誰なのかを明確にすること**です。

たとえふたりきりで喋っているシーンだったとしても、会話を続けさせていくと途中から誰のセリフだかわからなくなっていくものです。

「セミの声がうるさいね」
「夜に鳴かれると眠れなくて困るね」

「知ってる？　昔はセミって夜は鳴かなかったんだって」

「そうなの？　どうして？」

「夜になると真っ暗だったから。今はほら、夜でも明るいでしょ」

「街灯もあるし」

「コンビニもあるし」

「一日中ずっと門の明かりをつけてる家もあるし」

「電気代、大丈夫なのかな」

「LEDだから消費電力が少ないんじゃないの？　知らんけど」

「知らんけどって、大阪人？」

「いや東京。お祖父ちゃんは京都出身だったけど」

「関西の血が混じってるのか」

「誰がやねん」

「ほら関西や」

「あんたもな」

「街灯もあるし」あたりから話者の区別が付きにくくなるように感じませんか？

こういう書きかたをすると読者に相当なストレスを与えることになってしまいます。

対策としては**会話の間に地の文を挿入して、誰が話しているのかを描写する**というのが、一番簡単なものでしょう。

「セミの声がうるさいね」

私は言った。

「夜に鳴かれると眠れなくて困るね」

彼は言った。

「知ってる？　昔はセミって夜は鳴かなかったんだって」

私は言った。

「そうなの？　どうして？」

彼は尋ねた。

「夜になると真っ暗だったから。今はほら、夜でも明るいでしょ」

私は答えた。

「街灯もあるし」

彼は言った。

「コンビニもあるし」

私は言った。

「一日中ずっと門の明かりをつけてる家もあるし」

私は言った。

「電気代、大丈夫なのかな」

彼が尋ねてきた。

「LEDだから消費電力が少ないいんじゃないの？　知らんけど」

私は言った。

「知らんけどって、大阪人？」

彼が訊いた。

「いや東京。お祖父ちゃんは京都出身だったけど」

私は答えた。

「関西の血が混じってるのか」

彼が言った。

「誰がやねん」

私は突っ込んだ。

「ほら関西や」

彼が言った。

「あんたもな」

私は言った。


こんな感じです。

でもこの文章、読んでいて別のイライラを感じませんか?

「私は言った」「彼は言った」が何度も出てきて単調に感じられてしまうんです。

だからもう少し文章をひねって、誰が話しているか説明しつつ同じような表現が続かないようにしてみましょう。


「セミの声がうるさいね」

公園のベンチに座ると、私は言った。

「夜に鳴かれると眠れなくて困るね」

そう言いながら彼も隣に腰を下ろす。

「知ってる？　昔はセミって夜は鳴かなかったんだって」

私は思い出したことを言ってみた。

「そうなの？　どうして？」

「夜になると真っ暗だったから。今はほら、夜でも明るいでしょ」

「街灯もあるし」

「コンビニもあるし」

私の言葉に、彼は応じた。

私も続けた。

「一日中ずっと門の明かりをつけてる家もあるし」

「電気代、大丈夫なのかな」

彼が疑問を口にする。

「ＬＥＤだから消費電力が少ないんじゃないの？　知らんけど」

「知らんけどって、大阪人？」

彼が突っ込んできた。

「いや東京。お祖父ちゃんは京都出身だったけど」

「関西の血が混じってるのか」

「誰がやねん」

「ほら関西や」

「あんたもな」


誰が言ったかという説明だけでなく、**その人物がどんな行動を取ったか、どんな状況か、を語る**ことで文章に変化を与えてみました。誰が言ったかわかる箇所では地の文は省いています。特に終盤のやりとりは掛け合いのリズムを壊したくないので、会話文のみにしています。

こうして登場人物の行動や状況を説明しつつ誰が話しているのかわかるようにすると、文章が冗長になることを防ぐことができます。

そうした描写がしにくい場面でしたら、「彼は言った」だけでなく「彼は言葉を重ねた」

「彼は答えた」というように同じ意味合いでも表現を少し変えて変化を付けるようにするのも方法のひとつでしょう。

ただ、これは僕の個人的見解ですが(この本自体が僕の個人的見解だけでできているのかもしれないのですが、それはそれとして)、「彼は言った」という文章を無理に排除する必要もないと思います。他に書きようがなかったら「彼は言った」を続けてもいい。誰が話しているのかを明確にすることのほうが重要です。

わかりやすさを優先して、使うべきときには使いましょう。

誰が話しているのかわかりやすくする方法としては、**登場人物の会話文に特徴を持たせる**という方法もあります。

一番よく使われるのは、女性なら「わたし……だわ」、男性なら「俺は……だぜ」、老人なら「わしは……じゃよ」、子供なら「おいら……だい」というように一人称での自身の呼びかたと語尾で特徴を持たせることです。いわゆる役割語というものですね。この役割語を使うと登場人物の会話を整理することがかなり楽になります。

応用として「……っすよ」というような特徴的な語尾を付けたり、特定の登場人物に方言で喋らせたりするのも、わかりやすくする方法でしょう。

ただし、これも乱用は禁物(きんもつ)です。役割語だけで会話させた文章を読むと、かなり薄っぺらい印象を与えます。そもそも現実において「わしは……じゃよ」なんて言葉づかいをする年寄りに会ったこと、ありますか？　僕はないです。自分のことを「おいら」と呼ぶ子供なんて、まず見たことがない。

ためしに周囲で話しているひとたちの言葉を文字に書き移してみてください。きっと性別も年齢もわからなくなってしまうはずです。みんな、普通は同じような言葉づかいをしているからです。

役割語で話しているのは、フィクションの中だけに存在する人間か、フィクションに感化されて役割語を取り込んでしまっている人間だけです。

そのことを念頭に置いて、役割語を使うときは過度なものにはせず、控えめにすることをお勧めします。

つまり「**用法用量を守って正しくお使いください**」です。

もうひとつ、会話文で気をつけなければならないのは「**話者のキャラクターに即した**

言葉づかいをさせる」ということです。

キャラクターについては後に説明をしますが、小説の命とでも言うべき要素です。なのでここにブレが生じると、作品の質が大きく下がってしまいます。

具体的には一人称での自身の呼びかたがあるときには「僕」だったり、別のシーンでは「俺」だったりとバラバラになることは避けるべきです。もちろん現実においては人称がぶれることはよくありますが、フィクションで同じことをすると妙に目障（めざわ）りになってしまうんですよね。何か意図があるならともかく、通常は統一しておきましょう。


次に「良い会話文」を書くためのコツについて説明します。

基本はひとつ。「**コンパクトに印象重視**」です。

例を挙げましょう。

ふたりの人物がいます。ひとりが朝から何も食べていなくて、昼前だけど食事をしたいと思っている。そしてもうひとりに一緒に食事するかどうか尋ねようとしている。そんなシーンを想定します。

「今日は何してた?」

「朝起きて、歯を磨いて、それから服を着替えて、家を出たよ」

「なるほど。朝起きて、歯を磨いて、それから服を着替えて、家を出たんだね。朝飯は食わなかったんだね?」

「ああ、食べなかった」

「じつは僕もなんだ」

「そうか、君もか」

「腹、減ってない?」

「減ってるね」

「じゃあ今から飯を食わないか」

「いいね。食おう」


これはダメダメな例です。「今日は何してた?」と問われた相手が、眼が覚めてからの行動をだらだらと説明している。その上、それを聞いた相手も、そのだらだらとした説明を繰り返している。さらにその後で「朝飯は食わなかったんだね?」という問いかけに「ああ、食わなかった」と、これもまた余計な応答をさせた上で、やっと本題に入っています。

「今日はまだ何も食べてないんだ。昼前だけど何か食いに行きたい。一緒に行かないか」
「いいね。俺も朝飯抜きで出てきたから」

これならコンパクトですね。わかりやすくなっていると思います。

ただ、まだ無駄があるかもしれません。この食事に誘うシーンが**その後の物語の展開にどれくらい必要なのかがわからない**からです。場合によっては、このシーンはすべてカットし、ふたりで食事をしているシーンから書きはじめたほうがいいでしょう。

でもたとえば、ふたりがほぼ初対面で、片方が空腹でたまらないんだけど親しくもない相手を食事に誘うのは躊躇われる、といった状況だったとしたら、この会話は意味を持ってきます。このシーンでふたりが仲良くなるきっかけになるかもしれないからです。僕なら、こんな感じにしてみます。

「今日は、何をしてた？」

「今日？　朝起きて歯を磨いて、着替えて家を出たよ」

「朝飯は？」

「食ってない」

「そうか……じつは俺もなんだ。腹、減らない？　よかったら、一緒に食いに行かないか」

「いいね。行こう」


「今日は、何をしてた？」と間に読点を入れることで話者の躊躇いを表現しました。相手が「朝起きて、歯を磨いて……」とだらだら喋るのをそのままにしたのは、この中に朝食を取るという言葉がないことを示すためです（その代わり読点を省いてタイトにしています）。それで話者は「朝食は？」と問いかけることができたわけです。

「そうか」の後に三点リーダー（…）を挿んだのも、そこで話者が躊躇い、考え、そして思いきって「じつは俺もなんだ」と言わせる。そのプロセスを描くためです。こういう書きかたで会話の、ひいては登場人物の印象を変えたり強くしたりすることができます。

繰り返しますが、**会話文においては話者のキャラクターに即した言葉づかいをさせることが肝要です。その上で極力文章を絞り込み、印象深く読ませることを心がけてください。**

饒舌（じょうぜつ）に喋る人間でも、その饒舌に抑制を利かせることを考えてみてください。

地の文とは前述したように会話文以外の文章のことですが、そのほとんどが描写と説明です。五感で感じられるものや心の中にあるものを、言葉にして伝えるわけです。

描写には大きく分けて「**客観描写**」と「**主観描写**」があります。

客観描写とは端的に言えばカメラのレンズに映ったものを描写することです。そこにはカメラを構えている者の感情は入り込めません。

細かいことを言えば、カメラアングルや焦点の合わせかたなどでカメラマンの主観が入ってくる余地がありますが、それは小説の場合、作者が何を描写するかを決めることに近いと僕は考えます。決めた上で作者の感情や主観を交えずに描写するのです。

客観描写の例として僕が真っ先に思い出すのは、川端康成（かわばたやすなり）『雪国』の書き出しです。

国境の長いトンネルを抜けると雪国であった。夜の底が白くなった。信号所に汽車が止まった。

ここには主観は入っていません。事実だけを述べています。でもトンネルを抜けて雪国に入ったことを「夜の底が白くなった」という描写で見事に表現しています。読者はこの一文で雪積もる世界に誘われるのです。

一方で主観描写というのは、カメラではなく人間の眼で見たものを描写することです。当然ながらそこには視点人物である人間の感情や思考が入ります。

これも川端康成を例に出しますが、『伊豆の踊子』の書き出しは、このようになっています。

道がつづら折りになって、いよいよ天城峠(あまぎとうげ)に近づいたと思う頃、雨脚(あまあし)が杉の密林を白く染めながら、すさまじい早さで麓(ふもと)から私を追って来た。

「道がつづら折りになって」「雨脚が杉の密林を白く染めながら」が客観描写、「いよいよ天城峠に近づいたと思う頃」「すさまじい早さで麓から私を追って来た」が主観描写と分けられるでしょう。このように客観と主観を交えながら、物語の始まりに読者を導いています。

この文章を客観描写だけで書き直すなら（川端康成の文章に僕が手を入れるなんて不敬極まりないとは思いますが）、このようになるでしょうか。

> 道がつづら折りになって、天城峠付近に差しかかった頃、雨脚が杉の密林を白く染めながら、麓から私のいるところまで到達した。

この文章だと、やっと天城峠近くにまでやってきたという「私」の安堵感と、あまりに早く雨に追いつかれたという驚きが描けていません。語り手の感情が見えないからです。

もちろん、客観描写の中でも登場人物の感情を間接的に描写することは可能です。この文章を例にするなら、「私は足を早めた」と一文入れれば語り手の焦りが読者にも伝わるでしょう。

だから客観描写だけで登場人物の内面を描けないわけではない。ハードボイルドと呼ばれる小説では人物の内面描写を極力省き、客観的な描写で物語を書き進めるところに特徴があります。ハードボイルドというと私立探偵が主人公でギャングが銃で殺し合う小説というイメージがありますが、本来は感情を表に出さない抑制された表現形式のことでした。ですから客観描写で小説を書くことも可能です。百パーセント客観描写で押し通すというのはかなり難しいことですが。やはり客観と主観を交えながら書いていくのが無難であると思います。

主観にせよ客観にせよ、描写をする場合にはどうしても念頭に置いておかなければならないことがあります。

それは「**視点**」です。

描写についてカメラのレンズや人間の眼を基に説明しましたが、どちらも視覚、つまり見ることを前提としています。

なぜなら、**小説は「見るもの」だからです**。

読者は小説として書かれた文字を見る。そしてそこから生み出されたイメージを見る。

だから作者であるあなたは自分の書いた小説が読者にどのように「見える」かを常に意識していなければならない。そのために気をつけるべきなのが視点なのです。

視点には大きく分けて「**一視点**」と「**多視点**」があります。

一視点はその名のとおり、ひとりの人物（ひとつのカメラ）に固定して描写をするものです。

視点がひとつに固定されているので、読者を混乱させることが少なくなり、小説がとても読みやすくなります。

ただ、視点となっている人物が知っていること、見聞きしたことしか描くことができないというデメリットもあります。他人の感情や、視点人物が知らない情報を書くことができないわけです。

ミステリでは、このデメリットを逆手に取って効果をあげることができます。視点人物の知らない事実を後に明かして読者を驚かせることができるのです。逆に犯人しか知らないはずのことを知っているというシーンがあれば、じつは視点人物こそが犯人であったことがわかる。そういうテクニックに応用できるんですね。

でもたいていの場合、視点人物の知っていることしか記述できないというのは、小説を書くにあたっての枷になります。そのことは心に留めておいてください。

多視点というのは視点人物を多数にする描写方法です。

視点がひとつではないので、登場人物それぞれの内面を描写することも可能になります。これは歴史小説など、登場人物が多数出てくる小説などでは大きなメリットです。反面、複数の心情が絡み合うことになり、読者は混乱しがちになります。読者だけでなく書いている本人も自分の作品を制御することが格段に難しくなることを覚悟しておいてください。

正直に打ち明けますが、僕は多視点で小説を書いたことがほとんどありません。自分には書ける自信がないからです。複数の登場人物の視点から描写する必要があるときは章を変えるか、途中で一行空けてその段落では別の一視点で書くようにしています。

もしあなたが多視点で書きたいものがあったとしたら、そのときは場面ごとに登場人物がそれぞれどんな感情を抱いているか、何をしようとしているかを頭の中で整理するか、あるいは書き出すかして把握できるようにすることを勧めます。会話文と同じく「それは誰が思ったことか？　誰がそんな行動をしたのか」を明確にすることを心がけてください。
この多視点描写の名手といえば、僕なら真っ先に田中芳樹（たなかよしき）さんを思い浮かべます。途方もない数の登場人物の思いや行動が交差する戦場のシーンを見事に描ききっています。『銀河英雄伝説』や『アルスラーン戦記』などがお手本として最適でしょう。いや、それ以前にすごく面白い小説なので、未読の方はぜひ読んでみてください。既に読んだという方も、視点に注意して読み返してみてください。

視点の問題でもうひとつ、最初に決めておかなければならないことがあります。**視点の人称**をどうするか、ということです。

具体的には視点人物を「私」「僕」など一人称で書くか、「彼」「彼女」「田中」「女」などの三人称で書くか、ということです。

一人称で書くと、必然的に一視点での描写しかできません。「僕」や「わたし」が他人の心情を知ることはできませんから。

三人称では、一視点でも多視点でも書くことができます。

どちらが良いかは、あなたが書く小説によります。書いているうちに「どうも違う」と感じたら、書き直してもいいです。とりあえずどちらかに決めて書いてみてください。

ちなみに二人称で書くことも不可能ではありません。例を挙げるなら都筑道夫の『やぶにらみの時計』や倉橋由美子の『暗い旅』などがありますが、どれも実験的な作風で普段読んでいる小説とは読み心地が違います。それだけによほどの理由がないかぎり（つまり、どうしても書きたいという欲求がないかぎり）、二人称で小説を書くことはお勧めしません。


会話文にせよ地の文にせよ、どちらもあなたが知っている言葉で書かれます。

言葉は小説を書くための道具です。

つまり知っている言葉が多ければいろいろなことが書ける。言葉の知識が乏しければ、各文章も貧弱なものになってしまう。

だから自分の中にたくさんの言葉を取り込むことが必要です。

多くの作家が「書くためには読め」と言っているのは、そのためです。たくさんの本を読むことで、あなたの語彙が増えます。それだけでなく言葉の使いかたも学べますし、アイディアのパターンも理解できます。

「小説を書くためには何冊読めばいいのか？」と質問されることがあります。不思議

な質問だと、いつも思います。何冊でも読めばいいのにと。

でも、そういう質問をするひとは効率優先で、できるだけ少ない労力で効果をあげたいのでしょうね。つまり読むことを目的のための負担と考えている。

違います。読むことを厭うひとは、書くこともできません。小説を読む楽しさを知らないひとは、楽しく小説を書くことはできないでしょう。

だから、**まずは自分が楽しいと思える小説をたくさん読んでください。**ジャンルは問いません。ミステリでも恋愛ものでもホラーでもライトノベルでも結構。読んで吸収して自分の養分にしてください。

でも、それだけでは足りません。自分の好みのものだけ摂取していると偏食になるのは、読書も食事も同じです。小説を書きたいのであれば、自分の知らない語彙、自分が想像していなかった語法を学ぶべきです。

そのためには、**普段自分が手を出さないようなジャンルの本を読む**といいでしょう。

僕はときどき、詩や俳句、短歌の本を読んでいます。そこには僕が知っている言葉の、僕が知らなかった使いかたが記されているからです。

また、本屋で普段自分が手を出さないジャンルの本を、適当にジャケ買いして読むこともあります。医学書、工学書、哲学書のような堅い本。あるいは芸能誌、写真集、レシピ本などの柔らかい本も参考になります。

すべては自分の知らない言葉を手に入れるため、それと自分の知っている言葉だけで凝り固まった頭をほぐすためです。

小説を書くときに言葉に詰まることがあるなら、新しい道具に手を出してみてください。道具としての言葉は手に入れた。でも使いかたがわからない。そんなひともいるかもしれません。


次は言葉の使いかたの習得法について話しましょう。

まずは、真似(まね)てください。

自分が気に入った作家の書きかたを真似して書いてみることです。


小説修業のひとつとしてプロの作品を書き写すというものがあります。僕も若い頃、少しだけですがやってみたことがあります。正直、効果があるのかどうかわかりませんでした。

でもこれ、本当の目的は書き写すことでゆっくりと手本を読み返し、自分の中に言葉や表現の知識を定着させることにあるんです。そのことがわかっていないと、ただ書き写すだけでは意味がないんですね。

なのでこの方法を試すときには、**ただ転写するのではなく、手本となる文章をよく読むことを主眼に置いてください。**そうすれば言葉を取り込むことができるようになるでしょう。

書き写すのではなく、**元となる文章を見ずに記憶で書いてみる、**という方法もあります。少しレベルの高いやりかたですが、これを実践してみると、自分がその文章のどの言葉や表現に興味を持っているのかがわかります。そういう言葉は記憶に残っているから手本を見ないでも書けてしまうんですよね。書けなかった部分は、まだ自分のものになっていない、あるいはあまり興味がない部分。そしてもしも原文にない言葉や表現が書かれていたら、それはもうあなたの個性が表現されているものだと思っていいでしょう。

真似ばかりしてていいのか、と心配する必要はありません。アイディアの発想法と同じく、これも独自の文章を手に入れるためのトレーニングです。独自の文章は模倣から生まれます。**大丈夫、他人の文章を百パーセント真似して書きつづけることなんてできません。必ずあなたの個性が表れてきます。**

描写のスキルもまた、トレーニングで鍛えることができます。

僕が小説を書きはじめたばかりの頃に始めて、今でもときどき無意識にやっていることで、「**言葉によるデッサン**」と名付けたものがあります。

方法は単純です。あなたが学校や会社や買い物に行くために普段から歩いている道、その情景を、読者を想定して文章で描いてみてください。

家のドアを開ける。最初に眼に入ってくるものは何ですか？　それはどのようなものですか？　次にあなたはどちらを向いて歩きだしますか？　そのとき眼に入ってくるものは？　何か音はしますか？　匂いは？

こんな感じで、感じたものを意識的に文章化していくわけです。最初は客観描写、つまりあなた自身の感情を交えないで五感の反応だけを書いてみてください。

これ、単純だけど結構難しいですよ。自分の語彙力の乏しさに直面しますから。足下に落ちていた石ひとつを描写するだけでも、その色合いや形、蹴って転がしたときの音、それがどこに止まったのかまで、書こうと思えば際限（さいげん）なく描写が可能ですし、そのための言葉も必要です。もしあなたが鉱物についての知識を持っているのなら、それは安山岩（あんざんがん）だとか凝灰岩（ぎょうかいがん）だとか書いてもいいですが、そのときは読者にわかるよう石の特徴も書き加えましょう。

もちろん石ころなんて無視して、もっと大きなもの目立つものを描写するだけでもいいのですが、それだって同じように言葉を動員しなければ描けません。あなたが見ているものを知らない読者にも同じ道を歩いていると思わせるような文章を意識して書くのです。

情景だけでなく、人間でもデッサンはできます。通勤通学の電車で目の前に立っていたひと、スーパーの鮮魚コーナーにいたひと、公園のブランコに乗っていたひと、どんなひとでもいいですからじっくり観察して描写してみてください（ただし、あんまりじろじろ見つめると不審者扱いされるかもしれないので注意）。

その際、**どんな順番で描写していくのかも重要です**。まず眼についたところから始めるのがいいでしょう。鮮やかな赤い上着とか、頭皮のあたりが黒くなっている金髪とか、ギリシャ彫刻にありそうな彫りの深い顔立ちとか。その部分から視線を動かし、上着を描写したら下半身の服装を描き、転じて顔や頭部を描写する。つまり、あなたがそのひとを見たとき視線を動かした順に書いてください。

言葉を取り込むことも言葉でデッサンすることも、文章力をアップさせるためのエクササイズです。

やればやっただけ、効果が出ます。

文章力というのも筋力と同じで、怠けていると落ちてきます。数日書いていないと、元のように書けるまで結構な時間と労力が必要となります。

だから、できるなら毎日、文章を書くことを勧めます。小説でなくてもＳＮＳへの投稿でもいいし、日記を書くのでもいいでしょう。

とにかく書いてください。必ず成果は出ます。

Note

いい文章を書くために

○文章には会話文と地の文がある。

❶ 良い会話文を書くためには……

- 「話者」が誰なのか明確に。
- 地の文をリズム良く挿入し、行動や状況を描写する。
- 登場人物に特徴を持たせ、キャラクターに即した言葉づかいをさせる。
- 良い会話文は「コンパクトに印象重視」！
- 会話の中身が、物語の展開にしっかり関連するように。

❷ 地の文は、描写と説明がほとんど。
良い描写をするためには……

- 客観描写と主観描写の違いを意識して、うまく使い分けよう。
- 小説は「見るもの」！　だからこそ「視点」が大事。
- 一視点と多視点があるけれど、まずは視点の人称を決めて方針をしっかり立てよう。

「いい文章」のあり方の基本を知ったら、たくさん本を読み、真似て、時には記憶して、自分の中に言葉を取り込むべし！

文章力も、筋トレと同じく、継続が大事！
毎日書き、時には「言葉によるデッサン」で
トレーニングも積みましょう。
言葉や文章がぐんぐん磨かれますよ！

第五講

キャラクターを立てる

小説とは人間を描くものだ。

こう書くと、僕の中にいろいろと**モヤモヤした思い**が渦巻いてきます。ちょっと脇道に逸れますが、そのあたりのことについてまず、説明しておきましょう。それは小説の歴史の話であり、僕の個人的な話でもあります。

日本のミステリは戦前の江戸川乱歩(えどがわらんぽ)から始まったのですが、当初は探偵小説と呼ばれ、理知よりも怪奇幻想のイメージが強く、第二次大戦後に横溝正史(よこみぞせいし)が論理的な推理の面白さを眼目(がんもく)とした本格ミステリを書きはじめることで、欧米のクリスティやクイーンといった作家たちに比肩(ひけん)する作品が生まれるようになりました。しかしそれらの作品は登場する人間たちの内面を描くより犯罪事件やトリックの面白さを描くことを主体としていたこともあり、文学的には低い評価しか得られませんでした（当時は純文学と大衆文学の間に歴然とした格差があり、エンターテインメント、すなわち娯楽である大衆文学の地位が低かったんですよね）。

そんな中で一九五八年（昭和三三年）、**松本清張(まつもとせいちょう)の長編ミステリ『点と線』**が刊行され大ヒットしました。この作品は官僚の汚職という社会的な問題を動機の中心に据え、ヒーロー的な名探偵ではなく現実にいそうな刑事が地道に捜査した末に真相を暴くという物語でした。清張は探偵小説――日本のミステリに現代的なリアリズムを持ち込んだ立役者となりました。清張自身、「日本の推理小説」というエッセイで「探偵小説を『お化屋敷』の掛小屋からリアリズムの外に出したかった」と述べています。以後、清張のように社会悪の犠牲となる一般人を描くミステリは社会派推理小説と呼ばれ、主流となっていきます。そして密室殺人や不可能犯罪を名探偵が解き明かすミステリは過去のものとして脇に追いやられたのです。

そんな時代に僕はミステリを読みはじめました。折しも一九七〇年代、江戸川乱歩、夢野久作（ゆめのきゅうさく）、小栗虫太郎（おぐりむしたろう）、久生十蘭（ひさおじゅうらん）といった戦前の探偵小説作家たちの再評価が始まり、また横溝正史、高木彬光（たかぎあきみつ）、鮎川哲也（あゆかわてつや）といった戦後に本格ミステリの傑作を書いた作家たちの作品が次々と文庫で復刊され、書店に行けば次々とそうした名作が「新刊」として並びました。僕はそれらの小説を文字どおり浴びるように読んできたのです。そして、これこそが自分の求めている小説だと思いました。

ところが、当時の現役作家の作品を手に取ってみると、これがどうも違う。自分が求めているミステリとは別物のようでした。汚職を隠蔽（いんぺい）するために犯罪に手を染める会社員にも、その犯罪を暴くために靴底を磨（す）り減らして歩き回る刑事にも、僕は魅力を感じませんでした。しかしそんな小説がミステリのあるべき姿だと言われていたのです。

でもそれは、僕が求めていたミステリとは違う。

ならば、自分でそういうミステリを書きたい。

そう心に願ったのが二十代の頃でしたか。当時はそんなことを考えるのは自分くらいだろうと思っていました。

ところが僕と同じように「自分の好きなミステリ」を渇望していた同年代のひとたちがいたのだと知ることになります。一九八七年、**綾辻行人（あやつじゆきと）さんの『十角館の殺人』**がそれです。書店でこの本を見つけたときの驚きは、今でも忘れられません。

絶海の孤島を舞台に起こる連続殺人！

こんなものを今、書いてくれるひとがいたのか！

しかもそれが、僕と同年代のひとだなんて！

そのときすでに僕は「星新一ショートショート・コンテスト」で「帰郷」という作品が優秀作に選ばれデビューをしていましたが、長編ミステリも書けたらいいな、書きたいな、と思いつつ、なかなか手が出せないでいました。綾辻さんの登場は、そんな僕の躊躇を叩き壊すような衝撃を与えてくれました。

綾辻さん以降、若い作家による本格ミステリが次々と世に出るようになりました。そのムーブメントはいつしか「**新本格**」と命名され、若手ミステリ作家のひとつの潮流となりました。その流れに乗って、僕も一九九〇年に『**僕の殺人**』という長編を書くことができ、ミステリ作家の末席に座ることができたのです。

さて、ここでやっと本講の冒頭に書いた「**モヤモヤした思い**」について説明ができます。新本格の作家たちが世に送りだしたミステリは多くの読者を得ましたが、同時に少なくない批判も浴びることとなりました。

批判の中で一番よく使われた言葉が「**人間が描けていない**」でした。日本のミステリは清張によってやっとリアルな人間を描く小説になったのに、新本格の作家たちが書くミステリに登場する人物は事件やトリックのため、作者が用意したプロットのために存在する人形みたいなものだ。かつての人間が描けていない探偵小説に引き戻すなんて時代錯誤だ……というような論旨でした。

今から思うとこの批判は、文学至上主義的な風潮がまだ残っていたからこそのものだったと思います。その風潮がどのように変化していったか、というのはこの本の趣旨と大きく離れる話題なので、今は触れないでおきます（とはいうものの、少しだけ補足。イギリスの小説家、Ｅ・Ｍ・フォースターは著書『小説の諸相』で「プロットは登場人物との戦いに負けそうになると、しばしば卑怯な復讐をします。たいていの小説が終わりに近づくと迫力が落ちます。これは、プロットに結末らしい結末をつける必要が出てくるためです」「作者がプロットの結末づくりに掛かりきりになっているあいだに、登場人物はたいてい生気を失い、最後は死んだみたいに衰えてしまいます」と書いています。彼の論に従うならプロットと登場人物は敵対関係にあり、プロットが小説を完璧に制御すれば登場人物の描写に制限が加えられ、影が薄くなってしまう、ということになります。本格ミステリとはプロットこそが主体の小説なので、まさにこれが当てはまりますね。つまり新本格批判とはプロット重視の小説をこうした文学観の立場から非難したものとも言えます）。

ともあれ「人間が描けていない」という批判を僕たちの世代のミステリ作家はイヤというほど浴びており、一時期はちょっとしたトラウマにさえなっていました。それに反発するように「本格ミステリは人間を描かなくてもいい」という主張もなされ、人間性をあえて排したかのような作品も書かれるようになりました。そうした逆境も糧（かて）にして新たな成長を遂げてきたわけです。

そういう経緯があるだけに「小説とは人間を描くもの」という言葉は僕にとっても穏やかならざる気持ちにさせられる物騒な決めつけであるわけです。

でも。

小説の書きかたについて述べている今、僕はあえて、こう言います。

小説とは、人間を描くものです。

ほとんどの小説には人間が登場し、その生きる様が描かれています。

「ほとんどの」というあいまいな言いかたをしたのは、もちろん例外があるからです。

たとえば筒井康隆(つついやすたか)の『虚航船団』の第一章は文房具ばかりが乗り込んだ宇宙船の話、第二章はイタチが住む惑星の話です。また僕が学生の頃に大ベストセラーとなった『かもめのジョナサン』は飛ぶことを哲学の領域にまで高めようとするカモメの話でした。どちらの作品にも人間はまったく登場しません。

ただし、それらの作品を読んでみればわかりますが、文房具もイタチもカモメも物語の中では人間のように考え人間のように話し人間のように行動しています。つまり擬人化されているのです。作者は人間でないものを使って人間の話を書いているのです。

小説というのは、人間を描くものだからです。

小説は人間を描くもの、であれば、なぜ新本格ミステリの作品群は「人間が描けていない」などと批判されたのでしょうか。

それは、評者が小説に求めている人間の描きかたと当時の若い作家が書いていた小説での人間の描きかたに差異があったからです。

差異はなぜ生まれたのか。その話をする前に、小説における人間の描きかたについて説明しましょう。

端的に言えば、小説に描かれる人間は現実の人間とは違います。

小説に登場するのはキャラクターです。

キャラクターという言葉が使われるようになったのが比較的最近だったこともあり、小説よりも漫画やアニメの分野での親和性が高い印象があります。小説でもライトノベルのように登場人物がイラストでビジュアル化されている場合に、キャラクターという言葉で表現されてきました。夏目漱石（なつめそうせき）『こころ』の先生や、ドストエフスキー『カラマーゾフの兄弟』のアリョーシャがキャラクターと呼ばれることはなかったのです。

でも僕は、ここで断言します。**フィクションに登場する人間はみんな、キャラクターです。**

ではキャラクターとは何か?

結論を先に言うと、**キャラクターとは「フィクションを成立させるために人間の中から必要な要件を抽出したもの」**です。

人間には様々な要素があります。原子の集合体であり、生物であり、社会の一員であり、親であり、子供であり、個人である。また眠り、食べ、排泄し、愛し、憎むものでもある。切り口は無数にあり、どれもが人間として必要なものです。

しかし小説において、そのすべてが描かれるわけではありません。小学生の頃は体育が苦手だったとか、家ではいつも裸足(はだし)だとか、歯磨きのミントは強めのものが好みだとか、そんなことをいちいち小説で書き込むことはないし、もし書かれていたとしたら、それは何らかの形でストーリーに絡んでくるものと思われてもしかたないでしょう(たとえば体育が苦手だった刑事がスポーツ選手の容疑者に会いに行くときに、ちょっとしたコンプレックスを感じてしまうとか)。

小説にはストーリーがあり、人間はそのストーリーに沿った部分が描かれます。それがキャラクターです。つまり**キャラクターには本筋がある。**人間には、それがない（アスリートとか芸術家とか、ひとつのことに突出した人物なら、それが本筋に見えるかもしれませんが、そんなひとだって日々の生活とかでは全然関係ないことをしています）。

小説のキャラクターをどれだけ生きている人間に近づけていくか。これはキャラクターの造型に対する作家の技量と方針で違いが出てきます。作家の技量不足でキャラクターが人間らしく見えないというケースも、たしかにあります。でも作品がそこまでキャラクターの人間性を求めていない場合もあるのです。

本格ミステリではトリックや謎解きの面白さを主眼とするため、キャラクター造型を徹底させる必要もない、むしろ造型に力を入れすぎると、前に書いたように読者から何らかの形でストーリーに絡んでくるものと思われてしまいかねない。読者は何が謎解きの伏線であるのか気を配りながら一文一文を読んでいるので、それが最後まで謎解きに関わってこなかった場合、未消化に感じられてしまう危険があります。最近よく言われる「**伏線回収ができてない**」というやつですね。

作品によって人間の描きかたには違いが生じます。新本格ミステリを「人間が描けていない」という理由で非難していたひとたちは、その違いがわかっていなかった。さらに言うなら、小説とはすべからく人間を深く描かなければならないという文学至上主義に影響されていたせいで、社会派推理小説に比べて新本格は「退化」していると見なしてしまったのですね。

キャラクターは人間の一部分を取り出したものでしかない。でも読者は、キャラクターから人間を読み取ります。よく言われる「生き生きとしたキャラクター」というのは、小説を読みながら生きている人間のような感覚を味わわせてくれる登場人物のことです。

こんなひと、現実にいそうだな、とか。

こんな奴、現実にはいるわけないけど、なんか魅力的だな、とか。

どちらもキャラクターとしての造型が優れているからこそ感じることです。

よく言う「キャラクターが立っている」というのが、それに当たります。

では、**どうやったらキャラクターを立てることができるのか**。

その方法について、僕なりに会得してきたものをお教えします。

最初に、ある事実を指摘しておきます。

あなたは、すでにキャラクターを立てています。

毎日のようにキャラを立てています。

たとえば友達に「昨日、こんなことがあってさ」などと自分の体験談を話すとき。その話の中であなたは自分の中から話に必要な部分を抜き出して話しているはずです。自分ではない誰かの噂話をするときでも、その人物をキャラクター化して語っているのです。

キャラクターを立てるという作業は、日常的に誰でも行っているものです。話の上手なひとは、キャラクターの立てかたが上手いことが多い。キャラクターをうまく立てると話が面白くなる、とも言えます。

ただし体験談にせよ噂話にせよ、それは実在する人間による実話です。キャラクターの元となる人物も存在しているし、話は決まっているので、それに沿ったキャラクター化も比較的容易です。

これがまったくの架空の人間、架空の物語となると、かなり違った技術が必要になってきます。

キャラクターは三つの要素で成り立っています。その三つとは、

❶外見
❷経歴
❸性格（内面）

です。

外見は性差、容貌、体格、髪形、服装、といったものや、腕にタトゥーがあるとか足を引きずるように歩くとか、見た目でわかる特徴を指します。

簡単に設定できそうに思えますが、それなりに苦労することも多いものです。世の中に存在しない人間の姿形を作り上げなければならないのですから。

なので最初は**自分のイメージに近い実在の人物――俳優などを仮に設定して、その役を演じてもらう**のでもいいでしょう。

経歴は出身地、現住所、年齢、学歴・職歴など、そのキャラクターが経てきたものです。これも一から考えるのは結構大変です。主人公だけでなく登場人物すべてに対して設定しなければなりませんし。

僕の古くからの友人で小説講座を開いている小説家の鈴木輝一郎さんは、小説家志望者に**登場人物の履歴書を書く**ことを勧めています。僕自身は書いたことはありませんが、キャラクターを把握するために有用な手段かもしれません（ちなみに鈴木さんの著書『何がなんでも新人賞獲らせます！』はタイトルのとおり新人賞を獲るためのテクニックを教えてくれる名著なので、プロ作家を目指しているひとには一読をお勧めします）。

外見や経歴について僕がどうしているかというと、これらの要素は実は書きながら考えていきます。登場させ行動させ喋らせているうちに、容貌や経験が見えてくるんですね。見えたと思ったら初登場のシーンに遡って外見を書き加えたりしています。このあたりのことは後付けでも何とかなるのです。

性格も後付けで手直しすることができないわけではないのですが、場合によってはかなりの手直しが必要になることもあります。キャラクターの性格は物語の流れに大きく影響してくることがあり、変更がとても難しくなるからです。

なので僕は、**何よりもキャラクターの性格（内面）について、早いうちに把握しておくことが必要**だと考えます。

性格（内面）は三つの層に分けて考えます。

第一層は「行動」、つまりキャラクターが行うこと。

誰かを守る。誰かを殺す。何かを壊す。自分を傷付ける……そうした眼に見える形でキャラクターがすることを表します。外面的なことなので、実際には性格以前の事柄です。

第二層は「行動の直接要因」、なぜ、そんな行動に及んだか。

相手を愛していたから守った。憎んでいたから殺した。怒りっぽいから壊した。自暴自棄になっているから自分を傷付けた……行動の原因となるものでキャラクターの性格がそれを決定します。

性格とは、その人物の言動における傾向です。これは他人にもわかりやすいものです。しかし、その人物がそういう言動に至るのはなぜか、というのは他の人間にはわからない。場合によっては本人でさえ、なぜ自分がそんなことをするのか理解できていない場合もあります。**そうした人間の内面こそが、第三層です。**ここには人間の業とか矛盾とかが息をひそめています。そこに手を伸ばし抉り（えぐ）だし言葉にすることができたら、キャラクターの造型はより深みを増すことになります。

前にも登場してもらったE・M・フォースターの言う「平面的人物（フラット・キャラクター）」「立体的人物（ラウンド・キャラクター）」が僕の第二層、第三層に当たるのかもしれません（平面的人物とはフォースターによれば類型的人物とか戯画的人物とも呼ばれ、「ひとつの観念もしくは性質からできて」いるとされます。そして「ふたつ以上の要素があると立体的人物へふくらむ可能性が」とも説明しています）。

この第三層を深く強く描くことができれば、小説にも深みが生まれます。もしかしたら何かの文学賞の候補くらいにはなれるかもしれない。

でもそれは、かなり難しいことです。正直に打ち明けますけど、僕にはできません。思いきって手を伸ばしてみることがあるのですが、なかなか届きそうにありません。たいていの場合はちらりと覗（のぞ）く程度が精々（せいぜい）で、第二層レベルでのキャラクター造型をしています。それでは物足りない読者もいるでしょうけど、僕にはそんな小説読みの巧者を満足させられるものは書けないのです。

僕の実感ではキャラクター描写を第三層にまで届かせることができるかどうかは、そのひとの資質次第です。できるひとはできる。できないひとは、できない。

それでも可能なかぎり描写を試みることはしています。その際に行っているのは「**面接**」です。キャラクターに質問をぶつけ、どんな回答があるのかを考えてみます。

何を喜びとするか？
何に怒るか？
何に悲しむか？
何を恥ずかしいと思うか？
何を愛するか？
何を秘密にしているか？
自分にはどんな欠点があると思っているか？
他人には何が問題だと思われているか？
その問題や欠点はその人物と周囲の世界にどんな影響を与えているか？
その問題や欠点の原因は何か理解しているか？
何を求めているか？
求めているものを得るために何をしているか？

手に入れられないでいる理由は何か？
本当に必要としているものは何か？

こんなことを質問し、回答してもらいます。

もちろんキャラクターはあなたが作ったものですから、キャラクターの回答というのもあなたが考えたものです。でもそのことは一旦忘れ、**自分とは別の人格と見なして、このひとなら何と答えるのかを想像してみる**のです。

これらの項目すべてが最初からわかっているわけではありません。書いていくうちに見えてくるものも当然あります。でも書き終えたときにすべてわかっているのが理想です。あくまで理想です。これがすべてわかっているひとは、第三層まで手を伸ばすことができているひとです。

僕もそうでありたいと願いながらキャラクターに問いかけ、答えを得ようと頑張っています。

キャラクター描写で僕が特に心がけていることを記しておきます。

それは**説明ではなくエピソードで語る**ことです。

たとえば美形のキャラクターを、ただ「美しい」と書いても読者には伝わりません。その場合は周囲の反応でそのひとの美しさを描かねばなりません（擦れ違う人々が思わず振り返る、とかね）。

キャラクターは他のキャラクターとの関係の中で魅力を発揮する、ということも覚えていてください。

魅力的な主人公を描くためには**魅力的な脇役**が必要です。

会話や肉体的あるいは精神的なやりとりに、キャラクターを映えさせるエピソードを盛り込むことが肝要です。

たとえば小説の中に入れるか入れないかは別にして、**キャラクター同士のやりとりだけを書いてみる**ことも、いいでしょう。ふたり（あるいは三人以上）の関係性を確かめるカメラテストみたいなものです。僕は実際に書くことはないのですが、頭の中で小説の本筋とは関係ない無駄なエピソード、意味のない会話を想定してキャラクターに演じてもらいます。こうしたテストはキャラクターに即した言動が書けているか、ブレは生じていないかを確かめるためにも有用です。

最後にキャラクターを決定するための要（かなめ）となることにも、触れておきましょう。

それは、**名前の付けかた**です。

小説家志望者から「登場人物の名前はどうやって考えるのですか？」という質問を受けることが、よくあります。皆さんそれだけ命名には苦労しているのだろうと思います。

僕も苦労しています。主人公クラスの名前なんて、考えるだけで一日費やしてしまうことも少なくありません。なかなかピシッと決まらないいんですよね。

僕は主に資料本に頼っていました。苗字に関しては『日本の苗字ベスト３００００』という本が日本の苗字すべてを網羅していて便利です。苗字は今後減ることはあっても増えることはないので、これ一冊あればずっと使えます。都道府県別のランキングも載っているので、この地域にはこの苗字が多い、というようなこともわかります。名前では『日本の「なまえ」ベストランキング』が大正元年から平成一二年までの名前のランキングが載っていて重宝してきました。残念なことにどちらも既に絶版となっているようですが、Amazonや「日本の古本屋」というサイトで古書として購入できると思います。

もっと若い世代のキャラクターの名前を決めたいのなら、ネットで「子供の名前　２００３」というように生まれ年を入れて検索してみてください。その年に生まれた子供の名前のランキングがわかると思います。

ただ、苗字や名前のリストを眺めていても、それをどうやって組み合わせればいいのか迷ってしまうかもしれません。

そんなあなたのために、僕のとっておきの手を教えましょう。

ネットで「すごい名前生成器」と検索してみてください。そのサイトでは条件を入れると名前を勝手に作っていくつも表示してくれます。男も女も作れます。さらにすごいのは、日本だけでなくアメリカ、ドイツ、フランス、中国、韓国など、いろいろな国の名前も作ってくれるのです。僕はこのサイトを知ったおかげで、命名にまつわる労力がかなり軽減されました。


最後に主人公級のキャラクターの名前を決めるとき、僕がやっていることを教えましょう。

これは僕が敬愛する都筑道夫という小説家のエッセイ集『黄色い部屋はいかに改装されたか？』に収録されている「私の推理小説作法」に書かれていたことです。

曰く「**風変わりな姓や、きざな苗字に、単純、平凡な名を配合する**」。

たとえば神宮寺（じんぐうじ）一郎（いちろう）。小鳥遊（たかなし）彩（あや）。物部（もののべ）陸（りく）。こんな感じにクセのある苗字とありがちな名前を組み合わせてみると、なんとなく格好良く感じます。僕のシリーズ探偵——狩野俊介、霞田志郎、京堂新太郎も、このセオリーに則って命名したものです。

ひとつ気をつけなければならないのは、名前に使える漢字は法律で制限されているということです。

戸籍法第五十条では「子の名には、常用平易な文字を用いなければならない」と定められています。そして戸籍法施行規則第六十条で常用平易な文字として挙げられているのは「常用漢字表」「別表第二に掲げる漢字」「片仮名又は平仮名」の三種類です。詳しくはネットで調べてみてください。

フィクションなのだから自由な名前を付けたい、というひともいるでしょう。事実、小説や漫画、アニメのキャラクターには前述の法律に照らし合わせると違法となる突飛な名前が付けられていることも多々あります。

これはあなたの小説の世界観に従うべき事柄です。現実の法律に縛られない世界での物語なら、どんな名前を付けても結構です。しかしもし法律によって律せられている社会を舞台に書くのであれば、キャラクターの名前も法律に従って命名してください。

Note

小説は、人間を描くもの。
そして小説に登場するのはキャラクター。
小説にはストーリーがあり、キャラクターにも本筋がある。

キャラを立てるための基本

❶外見
俳優さんや身の回りの人をイメージして、頭の中で、役を演じてもらおう。

❷経歴
履歴書を書くのも有用な手段です。

❸性格（内面）
内面には層があります。
第一層：行動（なにをするか）
第二層：行動の直接要因（なぜしたか）
第三層：キャラクター本人にもわからない内面

第三層を強く深く描ければ、小説にも深みが生まれる。
キャラクターと「面接」をして、たくさん質問を投げかけてみましょう。

キャラクターは他のキャラクターとの関係のなかで魅力を発揮するもの。
魅力的な脇役も登場させるのもポイント！

脇役との関係性を描いたり、そのキャラクターらしいエピソードを重ねていけば、きっと魅力的なキャラクターが誕生します！

第六講

物語を作る

小説に興味を持ちはじめた中学生の頃から疑問に思っていたことがあります。

「小説」と「物語」の違いって何だろう、ということです。

いろいろな本を読んで自分なりに調べてもきたのですが、いまだに得心できる回答を得られていません。

今のところ理解できているのは、物語というのはその名のとおり「語られる物」であるということ。何かの出来事についての一部始終を言葉にして語って聞かせる、人間が言葉を手に入れて以来行われている営みです。対するに小説とは近代以降に生まれた文学形式で、物語が時系列に沿って語られるのに対して、作中の人物や出来事の関係を重要視する。つまり時間の流れを中断させたり遡ったりすることを厭わないものだということ。

でもこの違いだって、それほど厳密なものではないみたいです。『○○物語』というタイトルを付けていながら時系列なんて無視している作品もありますから。

とりあえず「小説とは物語を文字にしたもの」くらいの解釈でいいと考えています。

小説を書くためには、その元となる物語を作らなければなりません。

ここでは、その**物語の作りかた**について説明していきます。

物語とは「何かの出来事についての一部始終を言葉にして語って聞かせる」ものだと言いました。

ここにある「一部始終」とは、つまり「**問題が起きて、それがなんとかなるまで**」ということです。

「なんとかなる」というのも曖昧な言いかたですが、これは第二講でお話しした、「悪いことが起きたなら、何らかの方法でそれを解決する」「良いことが起きたなら、副作用として悪いことが起きる」のように、変化によって物語に決着が付けられることを指します。解決していなくても、より事態が悪くなったとしても、作者がここで決着したと思えば、物語の終わりです（読者がそれに納得するかどうかは別の話）。

物語とキャラクターは、切っても切れない間柄にあります。

どちらが先でもかまいません。物語が生まれればキャラクターが生まれ、キャラクターが生まれれば物語が生まれます。

大事なのは、**物語はキャラクターが動くことによって進んでいく**ということです。

第五講で自分が作ったキャラクターを理解することについてしつこく書いたのは、物語を進めていく上で必要なことだからです。自分の書くキャラクターがわかっていないと物語が進まないし、無理やり進めても迷走します。

ではどうやってキャラクターに物語を進めさせていくか。

端的に言えば、**キャラクターに試練を与え、それを克服しようと行動させる**のです。

結果的に克服できるかどうかは重要ではありません（キャラクター本人にとってはとても重要なことでなければなりませんが）。要は克服するためにキャラクターが行動し、それによって変化が起きればいいのです。

試練といっても様々です。

日常的なものなら、たとえば恋愛の苦しみ、別れの悲しみ、困難な目標の達成など。

あるいは予想外の事件に巻き込まれるといった非日常的なものもあります。

規模や困難さに大小はあるにせよ、どれもキャラクターにとっては試練となるものです。

ブレイク・スナイダーの『SAVE THE CATの法則 本当に売れる脚本術』はその名のとおり脚本を書くための本ですが、物語作りのコツを要領よくまとめている名著です（ちなみにこの本を元にしたジェシカ・ブロディの『SAVE THE CATの法則で売れる小説を書く』という本も出ています)。

この本でスナイダー氏は映画を10のジャンルに分けています。ジャンルといっても恋愛映画とか戦争映画といった分けかたではありません。彼曰く「ストーリーの本質を踏まえた上での分類」なのだそうです。これが実は物語で設定される試練の種類でもあります。以下に引用しつつ説明します。

○逃げられない空間でモンスターと遭遇する

島や宇宙船、束縛力のある集団内といったような限定的な空間で、恐ろしい存在と対決し克服しなければならない。

○宝物の探求

何か特別なものを求めて旅に出る。宝を手に入れられなくても、それに代わる大切なものを得なければならない。

○魔法の力を手に入れたら

普通の人間が特別な力を与えられ、願いを叶えることができるが、その代償も払わなければならなくなる。

○絶体絶命の状況に遭遇した凡人

平凡な人間が平凡でない状況に置かれ、心ならずも対処せざるを得なくなる。

○人生では避けられない困難

死、別れ、成長の痛みなど、失うことの辛さを味わわされる。

○相棒との葛藤

友人、恋人、ペット、敵などと出会い、交流していくことで自分の問題に直面し、変化していくことになる。

○謎との対決

ミステリ全般。困難な謎を解くため奮闘する。

○負け犬の逆転
周囲から軽んじられ、本人も自信を持っていない人物が困難に立ち向かい、勝利を求めていく。

○組織の中での苦労
会社、結社、国家などの組織の一員であることの困難さと向き合う。

○ヒーローに負わされる運命
「絶体絶命の状況に遭遇した凡人」とは逆に周囲から期待され、自身も強い自負を抱いている者だからこそのプレッシャーに晒される。

以上、あの作品やこの作品など、思い浮かべるものがあるのではないかと思います。
たしかに、ほとんどの小説（や映画）の主人公は、このような試練に晒されます。場合によっては複数の試練を抱えることもあります（家庭が破綻している刑事がバディを組んだ新人刑事との意思疎通に悩みながら殺人事件の謎を追いつつ娘の抱えている問題にも向き合う、といったような)。

あなたが考えているキャラクターに試練を与えるなら、それがこの中のどれに当たるか考えてみてください。

試練があれば、それを**克服**することも必要となります。

克服の仕方は僕の考えるところ、三通りあります。

その1、自分で克服する。
その2、他人に助けてもらって克服する。
その3、克服できない。

まず、その1。これは当然ですね。**自分の力でなんとかする。**歯を食いしばり、血の滲むような努力をして問題を解決する。その姿は感動的でしょう。すべての問題を自分ひとりで克服してのけたなら、それこそ拍手喝采……と言えるでしょうか。

実は、これはあまりお勧めできる克服法ではありません。主人公ひとりきりですべてやりとげてしまう物語は、いくら彼または彼女が奮闘努力してみせたところで、薄っぺらく感じられてしまいがちなのです。なぜなら物語の起伏が乏しくなってしまうから。

どうしてもひとりで克服させたいのであれば止めはしませんが、その代わり物語に相当困難だけどひとりでぎりぎり克服できる課題をいくつか用意し、主人公に立ち向かわせなければなりません。努力の実らんことを。

そして、その2。自分ひとりではどうにもできないことを、**他者の力を借りて克服する。**

敵の大群に囲まれて主人公は孤軍奮闘、しかし刀折れ矢尽きて絶体絶命、と観念したそのとき、「待たせたな!」と援軍参上!……という流れです。展開としては盛り上がります。

ただしこの場合でも、百パーセント他人の力で克服させてしまうと、主人公の存在意義が薄れてしまい、興ざめします。

それを避け、さらに面白いものにするには、他者の援助が必然となり、なおかつ驚きとなるような主人公の働きが前もって必要となります。

この例で言うなら、援軍となる人物は主人公に対して、ある程度のリスペクトを抱いていることにしなければなりません。ここで助けてくれる必然性を持たせるのです。その上で百パーセント助けに来てくれるかどうかはわからない、もしかしたら来ないかも、という疑念を抱かせる余地を作っておくとサスペンスが増すし、「待たせたな！」の一言を聞いたときの高揚感も、ますます強くなります。

このタイプの物語で一番わくわくさせられたのは映画「スター・ウォーズ エピソード4／新たなる希望」でした。

クライマックスのデス・スター攻略で、ダース・ベイダーに襲われ絶体絶命の危機に陥ったルーク。そこに駆けつけるハン・ソロのミレニアム・ファルコン！

このシーンは何度見ても心を震わされます。

最後の、その3。**試練を克服できない**というのは、なんとも後味の悪い感じがします。物語としても不完全燃焼になってしまうかもしれません。

でも試練を克服できなかったとき、初めて見えてくるものがある。それが実は、主人公が本当に求めていたものだったとしたら。

この発見は前もってわかっていた試練の克服以上に、物語として大きな感動を呼ぶものになります。こちらこそが真の試練であり、主人公はその試練を克服したのです。

僕がこのタイプの物語に出会った最初は、子供の頃に観たアニメ（当時はテレビ漫画と呼ばれていた）「**悟空の大冒険**」でした。一九六七年に放送されたもので、手塚治虫の「ぼくのそんごくう」を原作としながら、石猿の孫悟空が三蔵法師と共にお釈迦様のいる天竺を目指しながら行く先々で魔物を倒していく、という基本路線以外はまったく内容を変えられたオリジナルに近いものだったことは後に知りましたが、かなり過激でスラップスティック（ドタバタギャグ）な作品でした。

その最終回、幾多の冒険を経て三蔵法師一行はついに天竺に到着します。しかしそこは話に聞いていた理想郷とは程遠い荒れ地でした。

唖然とする悟空たちの前にお釈迦様が現れ、天竺など本当は存在しなかったのだと告げます。

それでは自分が八戒や沙悟浄と三蔵法師を守って戦いつづけてきたのは何だったのか、無意味だったのか、と怒る悟空。

しかしお釈迦様は続けて言いました。おまえたちが悪者を倒して平和をもたらしたその道のりこそが、天竺なのだと。

振り返ると今まで自分たちが歩いてきた道が見える。お釈迦様の言葉に納得し、その道を歌いながら帰っていく一行……。

この最終回を観たときの衝撃を、僕は今でも鮮明に覚えています。天竺、なかったのか。そんな終わりかたってあるのか。

最初は、ひどい肩すかしを食らった気分でした。

でも歌いながら帰っていく悟空たちは、とても楽しそうだったんですね。彼らは天竺に行くという当初の目的は果たせなかったけど、天竺を作るというそれ以上に大きなことを成し遂げたのです。彼らの真の目的は平和な世を作ることだった。それは達成できたんです。そのことに気づくと、このアニメの真の魅力がわかってきました。だから僕にとって「悟空の大冒険」は今でもオールタイム・ベスト・オブ・手塚アニメです。

この作品は先のジャンル分けに従えば「**宝物の探求**」に当てはまると思います。「天竺に行くこと」が、ここでの宝物です。

この手の物語では最初に提示される目的——宝物は結局はどうでもいいことが多い。面白いのは宝物を得ようとする過程のアクションであったり葛藤であったりするのです。映画などでは、こうした物語で探求される宝物のことを「マクガフィン」と呼びます。登場人物たちが行動するための動機を生み出したり物語を推進させるための仕掛けで、そのものは実は何でもいい。途中で存在を忘れられたっていいものです。「悟空の大冒険」でも物語の途中での三蔵法師一行は天竺がどうとか言わず、ただ旅するために旅をしているようでした。

自分で試練を克服する場合でも、誰かに助けてもらって克服する場合でも、最終的には本当の目的――真に克服しなければならないこと――に気づかせるという形にすると、物語は俄然面白くなります。

マクガフィンを利用しつつ、最後にはそんなものなんかどうでもいいくらいにしてしまいましょう。

さて、試練が決まったら、次はプロットを組んでみましょう。プロットとは小説の骨組み、粗筋のことです。

プロットにもいろいろな形がありますが、定番的なものは次のような順番になっています。

1、何のせいで（主人公を動かすきっかけ）
2、どんなことになって（主人公が置かれる状況）
3、その結果どうなって（主人公の行動がもたらすちょっとした成果あるいは敗北）
4、どうしたくなったのか（主人公が真に求めているもの）
5、でもそのためにはどうしたらいい？（主人公が4を得るために必要なもの）

ここまでちゃんとプロットを組めたら、小説として書き上げるのはかなり楽になります。ただ自分の経験から言うと、そんなに簡単なことではない。書く前はまだ明確にならない点がいくつも出てきます。

僕はその場合、とりあえず書きはじめてしまいます。書きながら初めて見えてきたものでプロットを何度も再構築し、時に書き上げたものを修正しながらでも組み直していきます。あまり褒められた方法ではないかもしれませんが、そういう書きかたしかできないんですよね。

読者は完成した小説しか読めません。その過程でどれくらいゴチャゴチャしてしまったかなんて、関係ないわけです。

だからあなたも、プロットは組めるだけ組んで、その後どんどん書いて、がしがし修正していきましょう。

次に物語の重要な要素として最近特に言及されることが多いものについて書いておきましょう。

それは「**伏線**」です。

SNSなどで小説やドラマの感想を読むと、伏線とその回収をかなり重要視する風潮があるように見受けられます。

でも僕が見るかぎり、そこで語られているのは伏線とは違うもののように思えます。そのあたりのことについて説明します。

もともと伏線というのはミステリなどで謎解きがあった場合、作品の前のほうにその謎解きの正当性を担保させるような事実を紛れ込ませていくことです。この「**紛れ込ませる**」というのが大事なところで、読んでいるときには伏線と気付かせないことが必要なのです。

しかし最近は「**ここに伏線があるからいずれ回収されるはずでは？**」という読みかたをしているように感じます。でも待ってください。初読の段階ですぐにわかる伏線というのは、どう考えても伏線として劣っているか、あるいは伏線とは別のものです。

では何かというと、それは「フラグ」と呼ばれるものです。

フラグというのは本来ゲームで特定の条件をクリアしたかしていないかを記録し、次の展開へと進めるものでした。それがいつしか次の展開を予期させる事象が出現したことを「フラグが立つ」と呼びはじめました。さらに「死亡フラグ」のように次に起こるであろう展開を約束するものになり、それが伏線と見なされるようになったのです。

そうなると「〇〇が起きたから××が起きるはず」という予想が読者の中に生まれ、それが予想どおりになることで満足を得る、という読みかたが広まってきます。

「**チェーホフの銃**」と呼ばれる作劇上のテクニックがあります。チェーホフとはロシアの劇作家アントン・チェーホフのことで、彼が手紙に「**誰も発砲しないのであれば、弾を装填したライフルを舞台上に置いてはいけない**」と書いたことに由来します。物語に登場させた意味ありげなものは必ず後の展開で使用されなければならない、ということです。

意味ありげに出てきて、その後何の展開もなかったら、たしかに肩すかしを食らった気分になりますね。読者にそういう失望を味わわせないためにも、気をつけておくべき点です。

ただ、いったい何を「銃」と見なすのか、という厄介な問題があります。

作者が特に意識して書いているわけでなくても、読者が違和感を抱けば「これはもしかして伏線かも?」と先入観を持たれてしまう可能性があるのです。作者はフラグとも伏線とも思ってないから、その先に何も展開を作らないでしょう。でも読者は「伏線を回収してないじゃないか」と不満を感じてしまうかもしれません。

たとえば登場人物の中に車椅子を利用している人物が出てきたとしましょう。読者は「これは何か後に車椅子に関した展開があるのかな?」と考えるかもしれません。でも作者はそんなことを考えてもいない。現実社会に車椅子の利用者は当たり前に生活しているからです。

この場合「伏線が回収されていない」と読者に不満を抱かれても、如何ともしがたい。読者に「読みかたを変えろ」と指示することなどできないし、するべきでもない。読書の楽しみかたは自由だからです。

作者であるあなたにできるのは、極力自分の意図が伝わるように書き込むことしかありません。前の例で言うなら、車椅子の人物のことを丁寧に描き、伏線ではなくひとりの人間として読んでもらえるようなキャラクターに仕上げることです。

それでも誤解されるかもしれません。そのときはもう、甘んじて受け入れましょう。それはあなたの限界であり、小説というものの限界であり、文章でコミュニケートすることの限界でもあります。

Note

物語の作りかたの基本は、
「問題が起きて、なんとかなるまで」を描くこと。

- 物語はキャラクターが動くことによって進む。
キャラクターに試練を与え、克服しようと行動させる。

- まずは「問題が起きて、なんとかなるまで」のプロットを
組んでみる。一度プロットを組めば、
小説を書くのがとっても楽になる。

➡どんどんプロットを組んで、どんどん書いて、
どんどん修正!!

- 読者に気がつかせないように紛れ込ませるのが「伏線」。
読者に気がつかせて、
その後の展開を予測させるのが「フラグ」。

➡さらに「伏線」や「フラグ」をつかえば、
より複雑なプロットも可能に。

ただし、伏線でないものが伏線と捉えられるようなマズい
書き方を避けること(「チェーホフの銃」)は、念頭に置いて
おきましょう!

第七講

実例としての自作解説

ここで僕のショートショートをひとつ読んでいただこうと思います。

実作を例にして、どうやって小説が書かれるのかを説明します。

まずは、読んでみてください。

※

『龍を宿す者』


辰也が黙っているのをいいことに、上司の説教はますます熱を帯びてくる。

「君は覇気(はき)が無さすぎる。顔色も悪いし、清潔感もない。そのうえ表情も乏しい。いい大人なのに常識というものがない。君が店先に出ると客が退(ひ)くんだよ。顔を変えろとは言わないが、せめて接客態度くらい直したらどうだ。客商売には向いてないぞ。どうしてこの仕事を選んだんだ？　はっきり言ってまわりが迷惑するんだよ！」

辰也は叱責の声を頭を下げて聞いていた。聞きたくなかったが、どうしたって耳には入ってくる。ねちねちとした口調も厭味だし、顔を上げたらきっと上司の醜悪な笑顔を見ることになる。そう、こいつは笑いながら部下を叱るんだ。

左腕を、そっと撫でる。ずっと我慢してきたが、もう限界だ。これだけはやりたくなかったが。

辰也は顔を上げると、なおも文句を言い続ける上司に向かって左手を差し出した。

「なんだ？　何の真似だ？　反論するなら口で言え。俺に手を出したらどうなるか――」

それ以上、言わせない。辰也は気を籠めて、撃った。

腕の袖口から黒い炎が噴き出す。それは一瞬で上司の体を包み、焼いた。

炎は瞬時に消える。上司は何が起きたのかわからないで眼を瞬（しばたた）いている。

「……もういい。これから気をつけてくれよな」

勢いを削がれた上司は辰也を解放した。

翌日、その上司は出社しなかった。突然会社を辞めたのだ。

「あいつ、何の連絡もしないで退職届だけメールで送ってきたらしいぜ」

ロッカールームで同僚が噂話をしていた。

「なんだそれ？　使い込みでもしたのか」

「そうじゃないみたいだ。でも課長があいつのマンションに行ってみたら、もう引っ越していなくなってたそうだ」

「ひどいな。でも、ちょっとホッとする話だ。俺、あいつ苦手だったんだ。うるさくてさ」

「俺も。大嫌いだった。なあ道山、おまえもそうだろ？」

同僚が辰也に話を振ってくる。

「おまえなんか、よく怒鳴られたもんな。昨日もやられてたろ。あんなのいなくなって、清々するよな」

「まあ、ね」

適当に相槌を打ち、彼らと話を合わせた。その日は誰にもどやしつけられることなく、仕事を終えた。

コンビニで買った弁当と缶チューハイのレジ袋を提げてアパートに戻った。ひとりでもそもそと食事を済ませると、辰也はおもむろにシャツの袖を捲った。

左腕の内側に黒い模様のようなものがある。肘の裏側から手首にかけて、それはまるで龍が飛翔しているように見えた。

いや、見えるのではない。辰也は心の中で言った。これは本物の龍だ。

幼い頃から、龍は彼の腕にいた。最初は痣だと思った。だがただの痣なら、体が成長するに従って相対的に小さくなるはずだ。なのにこの黒い模様は大人になっても肘から手首にかけてを覆っていた。彼と一緒にこの龍も成長しているのだ。

龍は、辰也に特別な力を与えた。

初めてその力を使ったのは小学生のときだった。腕の模様を理由に彼を笑い物にする同級生の手を振り払うために左腕を振るった。その瞬間、腕の龍は辰也の体から飛び立ち、黒い炎となって相手を襲った。辰也はあまりの恐ろしさに悲鳴をあげた。

次の日、突然いじめっ子は転校していき、辰也の前から姿を消した。

それが龍の力なのかどうか、最初はわからなかった。だが中学のとき、彼から金を強請り取ろうとした不良たちに向かって〝力〟を放ったとき、それは確信となった。不良たちは皆、補導されて少年院へと送られたのだ。

こうして辰也は、自分を害する者たちへの最高の報復手段を身につけていることを実感した。それが自身を救ってくれたことも、これまでに何度かあった。

しかし彼は、そのことをあまり喜ばなかった。可能なら、この力を使いたくはなかったのだ。なぜなら……。

「おい、急に辞めたあいつのこと、聞いたか」

職場でまた同僚たちが噂をしている。

「あいつ、宝くじが当たったんだってさ。今じゃ億万長者だ」

「へえ、だからさっさと会社を辞めたのか。俺も少しは分け前が欲しかったよ」

「なに言ってんだ。大嫌いだったとか言ってたくせに」

彼らの話を、辰也は背中越しに聞きながら溜息をついた。やっぱり、そうなったか。

思えば、最初に龍の炎に焼かれたいじめっ子がいなくなったのは、母親が家庭内暴力を振るう父親から自分と息子を守るために家を出たからだった。その後いじめっ子は真面目な社会人となり、大会社の管理職となって裕福に暮らしていると聞いた。辰也から金を強請ろうとした不良たちは少年院で立派に更生し、今ではバンドを組んで日本中のアリーナを満員御礼(おんれい)にしているという。

そう。龍の力には〝副作用〟があった。炎に焼かれた者は皆、幸運を摑んで幸せになっているのだ。

なんと皮肉なことか。憎らしい相手を目の前から遠ざけるためには、彼らを幸せにしなければならない。それが辰也には耐えられなかった。

あんな奴ら、できれば不幸になってほしい。でも追い払うには、幸福を授けるしかないのだ。

辰也は自分の力を呪った。こんな複雑な気持ちにさせられるなんて。俺なんか、一度だって幸せになったこともないのに。

いつものように缶チューハイを空けながら、辰也は呪いの言葉を吐いた。

「くそくらえだ！　俺だって、幸せになりたいんだ！」

幸せに……。

そのとき、ふと気づいた。そうだ。

辰也は左腕を自分の頭に向けた。なぜ今まで思いつかなかったのか。こうすればいいんじゃないか。

彼は笑いながら、左腕の龍を自身に向けて放った。

三日後、辰也のアパートを会社の新しい上司が訪ねてきた。ずっと無断欠勤を続けている彼のことを心配してやってきたのだ。新しい上司は部下思いの優しい人間だった。

部屋の鍵は開いていた。不審に思った上司は中に入り、部屋の中央に座り込んでいる辰也を見つけた。

「おい、どうした？　道山辰也君！」

呼びかけられた辰也は、ゆるゆると振り向いた。

「道山……辰也？　誰ですかそれ？　そんな人間、ここにはいませんよ」

辰也の返答に驚いた上司は、救急車を呼ぶために部屋を飛び出した。

その後ろ姿を見ながら辰也は、笑っていた。

「道山……辰也……そんなの、いませんよ……ははは」

その表情は、とても幸せそうだった。

※

pixivFANBOXというサイトで日本SF作家クラブが運営しているファンコミュニティがあります。そこで僕は『惑星まほろば』というショートショートの連作を連載していました。この『龍を宿す者』はその中の一篇で、後に単行本として書肆盛林堂（しょしせいりんどう）から出版された他、光文社文庫の『ショートショートの宝箱Ⅳ』にも収録されました。

『惑星まほろば』は「十二カ月の掟」「十二支の噂」「十二色の旅」という三つの章で構成されており、この作品は「十二支の噂」の「辰」、つまり「龍」についての物語として書いたものです。「龍」についての物語を書くことだけは、先に決まっていたわけです。

物語を組み立てるにあたって、僕はまず自分の中にある「龍」についての知識とイメージを洗い出しました。

龍。竜。dragon. 架空の生物。力を持つ。西洋では悪魔、東洋では吉兆。

さらに小説や漫画、映画やアニメで出会った龍のこと。

そこで思い出したのが、冨樫義博（とがしよしひろ）の漫画『幽☆遊☆白書』（一九九〇年から一九九四年）で飛影というキャラクターが使った邪王炎殺黒龍波（じゃおうえんさつこくりゅうは）という技でした。自らの妖気を餌に魔界の炎の黒龍を召喚（しょうかん）し放つことで相手を焼き尽くす技。名前からしてかっこいい。

……手から龍を放つ、それを実際に使える者がいたとしたら？　そんなことをふと、思いました。

でも相手を焼き尽くすような強力な技ではアクション色が強くなってしまって、連作の雰囲気から外れてしまう。元ネタそのままというのも、よろしくないだろう。

ではたとえば、いじめっ子がいなくなる程度のものでも結構効果的かもしれない。

腕に宿した龍を放つことで、自分の嫌いな者を遠ざけることができる能力。こんなのがあったらいいな。そういう技を使える者を登場させよう。

こうしてメインとなるキャラクターが決まりました。

気に入らない者、邪魔な者をどんどん目の前からいなくさせてしまう能力者。ある意味、万能な存在です。でも、ただ万能というのでは物語として面白くありません。何かひとつ、負の要因を付けておきたいと思いました。第二講で挙げた「良いことが起きたなら、副作用として悪いことが起きる」というパターンです。

折角そういう能力を持っていたとしても、それをあまり使いたがらない、自分にとっていい結果ばかりではないとしたら？　たとえば体力をひどく消費するとか、あるいは寿命が縮んでしまうとか。うーん、そういうのはありがちだなあ……。

ここでふと、「龍を放たれた者が彼の前からいなくなる代わりに、その者が幸せになってしまう」という条件を思いつきました。

嫌な相手が幸せになってしまう。それが耐えられない。なぜなら自分が幸せでないから。

よし、主人公は自分を幸せだと思っていない人間にしよう、と決めました。自分が幸せでないから、嫌な奴が自分の力で幸せになっていくのを見るのがよけいに辛い。だから技を極力使いたくない。

ここまでが前段階です。そんな人間が、あえて技を使おうとするのは、どんな状況だろうか。

ここで発想の転換。本来副作用であった「放たれた者が幸せになる」ことを目的として龍を放ったら？

たとえば愛している女性がいて、そのひとが不幸な状況にある。自分の技を使って幸せにしてあげたいが、そうすればそのひとは自分の前から去ってしまう。苦悩する主人公……悪くない。悪くないけど、ショートショートに収めるには話が少し長くなりそうだ。もっとコンパクトでインパクトのある話にしたい。

ここでもうひとつ、発想を転換させました。彼が一番幸せにしたいのは他でもない、彼自身ではないのか。ならば、自分自身に向かって龍を放ったらどうなる？　自分は幸福になれるのか？　そして「自分の前からいなくなる」という効果がその場合、どのように発現するだろうか？

そして考えたのが、小説のラストのシーンです。自分から自分がいなくなるとはつまり、自己を失うということだった、という結末。

これで作品のプロットは完成しました。普通ならここで「龍を放つ」というアイディアは別のものに変えます。元ネタの痕跡を消すためです。しかし今回は「龍」こそがテーマでした。だから消さずに残すことになりました。

こうしてショートショート『龍を宿す者』を書き上げたのです。

今回、あえて発想の元ネタがはっきりわかる作品を例にしました。

この作品だけでなく、**小説や映画やアニメを観ていて「自分ならこうするのに」という思いつきがオリジナルを生み出すきっかけになります。**

映画を観たり小説を読んでいる途中で「この話、こういう展開かな？　そうならないでほしいな」と思うことがあります。同じような展開でなかったら、そこで自分が思いついたものを書けるからです。

それは自分の作品でも、しばしば起きます。この『龍を宿す者』で言うなら先に書いた「主人公が愛している女性に龍を放つかどうか悩む話」は、ひとつのバリエーションとして僕の脳内に保管されました。ここで披露してしまったので、そのままのものを書くことはできませんが、さらに発想を広げて別の作品に結実させるかもしれません。

龍を自分自身に放った者の、その後についても、想像を巡らせることができます。実際、彼の後日談については『惑星まほろば』の別の作品で書いています。

ここで少し脱線して、ショートショートについて語っておきたいと思います。

ショートショートとは四百字詰め原稿用紙で換算すると十枚程度、長くても二十枚までに収まる小説のことです。規定は、これだけ。内容はどんなものでもかまいません。SFでもミステリでもホラーでも純文学でも可です。ただ日本のショートショートのパイオニアが星新一先生だったこともあり、日本ではショートショート＝SFというイメージが強いようです。

昭和にその星新一先生がショートショートという小説形式を日本の読者に認知させ、広めました。そのブームに乗って多くの作家がショートショートを書きはじめました。長編志向で短いものを不得意としている作家でさえ書かされていました。

雑誌、新聞だけでなく企業のPR誌や社内報などにもプロ作家のショートショートは掲載されました。短い読み物の需要はそれなりにあったわけです。

僕をデビューさせてくれた「星新一ショートショート・コンテスト」も、そんな需要から生まれたものでした。ショートショート専門誌「ショートショート・ランド」も生まれ、様々なジャンルの作家や芸能人、そしてコンテスト出身の僕のような者まで執筆に携わりました。

バブル経済が絶頂だった昭和の終わりには、広告を打ちたいスポンサーの数が雑誌の掲載限界を超える事態にまでなり、広告を掲載するために新しい雑誌を創刊するということさえあったと聞きます。そんな雑誌に掲載する読み物としてもショートショートは好まれたのです。

しかし一九九七年（平成九年）に星先生が亡くなられたことが大きな転機となりました。日本では「ショートショート＝星新一」と認識されていたため、星先生がいなくなるとショートショートへの関心自体が薄れていったのです。またバブル崩壊による日本経済の縮小も悪い影響を及ぼしました。企業は宣伝にあまり金をかけられなくなり、ＰＲ誌や社内報は減り、残ってもショートショートなどを載せる余裕はなくなっていきます。

出版界も活力を失いました。広告主が減って雑誌の需要が減った上に、読者の嗜好も変わって雑誌を読むという文化も変容したのです。それにより多くの雑誌が販売部数を減らし、休刊や電子書籍への移行を余儀なくされました。

ショートショートを書く場はほとんど消えてしまったのです。僕も長編や短編の仕事しかできなくなりました。

しかし**それが近年、わずかではありますが様相が変わってきました。**

先に紹介した**田丸雅智氏**がショートショート専門の作家として活躍を始め、ショートショートを書くためのワークショップや、ショートショートを基とする発想法とその活用について、いろいろな場所で伝える活動を始められています。それに伴いショートショートは新しい発想を促すためのツールとして注目を浴びるようになってきました。田丸さんのショートショートの書き方講座の内容は、二〇二〇年度から使用される小学四年生の国語教科書にも採用されました。今後はショートショートの書き方を習得した子供たちが世に出てくるでしょう。そうなったとき、彼らの創作の受け皿となる媒体もできるのではないかと期待しています。もちろん収益化は簡単なことではないでしょうし、ショートショートで生計を立てられる作家が生まれるかどうかもわかりません。でも創作の重要なジャンルとしてショートショートが復権する可能性はあるのではないかと思っています。

僕自身がショートショートから小説家の第一歩を踏み出した人間なので、どうしてもこのジャンルについて肩入れしてしまうのですが、そういう個人的な思惑を除いても、ショートショートは今後、注目すべき表現形態だと考えます。ぜひとも多くの方にチャレンジしてもらいたいと思います。

Note

ショートショートの実作例
『龍を宿す者』が書かれるまで〜

「龍」というお題は決まっていた。

➡自分の中にある「龍」の知識とイメージの洗い出し。

➡冨樫義博の漫画『幽☆遊☆白書』を思い出しながら、
自分だったらどうしたいか構想。

➡能力を設定し、メインキャラクターを決定。

➡発想を転換して、能力と効果をさらに面白く。

➡結末を決定。

➡プロット完成!

小説や映画やアニメを観て「自分ならこうするのに」を思いつくのも、オリジナル作品を生み出すきっかけとして重要!

ショートショートは、四百字詰め原稿用紙で10〜20枚に収まる小説のこと。
田丸雅智さんのワークショップなどで、発想法のツールとしても注目を集めるようになってきている。

➡ぜひとも、ショートショートをたくさん書いてみてください!

第八講

世界を創る

小説の舞台となる世界には、大きく分けて**「現実」と「架空」**のふたつがあります。

このふたつは、決して交わることはありません。少しでも非現実的な条件が紛れ込んだら、それは架空の世界の物語となります。ゾンビが人を襲っても、ぶつかった拍子に人格が入れ代わっても、史実に忠実な戦国時代にタイムスリップした自衛隊が乱入してきても、それは架空の世界の話です。

なぜこんなことをわざわざ言い立てるのかというと、**作家の想像力は現実と架空の壁を易々と、場合によっては無意識に乗り越えてしまう**からです。

乗り越えるのは全然かまいません。好きなように想像力を広げて小説を書いていいのです。ただ、**自分が現実と架空の垣根を乗り越えているかどうかを意識していないと、物語に齟齬(そご)が生じてしまいかねない**のです。

こういうときによく使われる言葉が**「世界観」**です。世界観とは本来、自分がいる世界をどのように捉えるか、という意味合いでした。でも最近はゲームやライトノベルの影響でしょうか、**「フィクションにおける世界設定」**として使われることが多いように思います。

この講で語る「世界観」も「世界設定」に近いものです。世界観がちゃんとできている、というのは世界設定にブレがない、という意味になります。

世界観をしっかり構築することに加えて、**この小説がどのような世界設定の下に書かれているかを読者と共有できるようにする必要もあります。**これが結構難しいことなのですが。

第五講でキャラクターとは「フィクションを成立させるために人間の中から必要な要件を抽出したもの」と言いましたが、小説における世界にも同じことが言えます。

作中で描かれた世界とは、設定された世界の一部でしかない。

「設定された世界」というのが現実であるのなら、当然のこととして理解できるでしょう。小説の中に世界のすべてを描き込むなんてことは、できません。物語に必要な部分のみが抽出されています。

これは架空の世界においても同じなのです。あなたが小説の中で創造した世界には、あなたが描いたもの以外にもたくさんの事柄があります。

そのすべてを創りだせ、ということではありません。それもまた無理な話です。

でも、**ここには書かれていなくても世界は広く、他にたくさんの事柄があるのだと読者に思わせるような書きかたはできます。それこそが読者と世界を共有するということです。**

これが結構難しいことだと言いましたが、でも何をするべきかは明白にわかっています。**小説の中で描かれる世界（の設定）を丁寧に矛盾なく遺漏なく描くこと。**それがちゃんとできれば、読者は世界の描かれていない部分について疑問を抱くことがなくなります（少なくとも、そう期待できます）。

単純だけど、難しいことです。

現実世界を舞台にすれば、このあたりの苦労はそれほど大変ではなくなります。すでに読者とは世界が共有されていますから。

安易に架空世界を舞台にすることに対して僕はずっと懸念を抱いていたのですが、それはこういう理由からでした。僕に言わせれば現実を舞台にするほうが楽です。

世界設定の「世界」には**様々なレイヤー**（**階層**）があります。

大は宇宙、惑星、国家など。そして小は学校、会社、家族など。

大きな世界の中に小さな世界が内包されており、それが互いに（主に大から小へ、ですが、場合によっては小から大へ）影響をし合っています。

物語を架空の世界で描くのであれば、大も小も矛盾なく構築しておく必要があります。

こうした世界設定を前もってきっちり詳細に創るひともいます。それはとても良いことだと思いますが、折角考えたのだからと設定を小説の中にすべて盛り込もうとしてしまうこともあるようです。これでは本末転倒になってしまいます。**物語が必要としている分だけ描くようにしましょう。**

キャラクター描写と同じく設定も長文で説明することはなるべく避け、エピソードで読者に伝えるよう心がけてください。どうしても長い説明が必要となったら、その設定についてレクチュア（説明）を受ける必要が生じたキャラクターと説明する立場にあるキャラクターを用意して会話させるのもいいでしょう（異世界に転生したばかりのキャラクターに、異世界の住人がその世界のことを教える、とか）。

架空の世界に比べて現実の世界を舞台にするほうがずっと楽だ、と先程書きました。

じつはこれ、少し嘘があります。

現実世界を舞台にするからこその困難さ、というものもあるからです。

現実ならば読者と世界を共有できていますから、細かな設定をする必要は、たしかにありません。でもそれだけに、嘘や間違いはすぐに見抜かれてしまいます。

たとえばあなたが桜田門外の変を小説の題材として採り上げたとしましょう。安政七年三月三日（一八六〇年三月二十四日）、江戸城の桜田門外にて当時の大老井伊直弼が襲撃され暗殺された事件です。とても有名な出来事なので、その経緯や事件の背景はかなり詳しく記録されています。襲ったのが水戸藩からの脱藩者十七名と薩摩藩士一名であることも、襲撃時に雪が降っていたことも知られています。当然あなたも雪が降っていることを描写するでしょう。

では、その雪はどれくらいの降りかただったでしょうか。事件のとき、雪は降っていたのか止んでいたのか、どちらでしょうか。

そのあたりの描写は小説で書いても数行で済ませられるからたいしたことない、と思われるかもしれません。しかしその数行の「事実」を描くのが大変なのです。

桜田門外の変当日、江戸は稀に見る大雪に見舞われていました。襲撃されたその瞬間も降雪がひどく、井伊直弼を護衛していた侍たちは視界を遮られ、しかも雪対策として雨合羽を着用し、雪が入り込むのを防ぐために刀にも厳重に革袋をかけていたため、襲撃者への応戦がすぐにできず、大老の暗殺を防げなかったと言われています。

この場合、雪の降りかたが歴史を変えたとも言えます。それだけに詳細な記録が残っているわけです。もしもあなたがこのシーンで雪のことを描かなかったら、その小説が世に出たときに強く指摘されることになるでしょう。下手をすればこのミスだけで作品の価値を下げられてしまうかもしれません。

こんな失態を防ぐためには、**資料にあたり取材を怠らないこと**が必要です。取材のしかたは後に述べますが、複数の資料で検証することを勧めます。面倒で地道な作業ですが、ここをきっちりできるかどうかで小説の質が変わってきます。心得ておいてください。

現実と創作の関係に付随して、触れておきたいことがあります。

少し前ですがＳＮＳで「**じゃがいも警察**」なる言葉が流布していたことがありました。これは小説や漫画、アニメなどの創作に対して史実と照らし合わせて矛盾を衝き批判するひとたちのことです。史実との矛盾の例として採り上げられたのが、じゃがいもでした。

中世ヨーロッパを思わせる世界を舞台にした創作に「じゃがいも」が出てくるのはおかしくないか、という批判があったのです。

農林水産省のサイトにある説明によると、じゃがいもがヨーロッパに持ち込まれたのは15世紀の終わりで、スペイン人が南アメリカから持ちかえったのが始まりだそうです。しかもヨーロッパでは作物ではなく、花を楽しむだけのものでした。それが18世紀の半ばになって、やっと食べるためのじゃがいもができるようになったということです。ヨーロッパ史で中世と呼ばれる期間は5世紀（西ローマ帝国の滅亡）から15世紀（ルネサンスの始まり）までですから、たしかに中世ヨーロッパに食べられるじゃがいもは存在していませんでした。だから「じゃがいも警察」と呼ばれたひとたちが批判する根拠は、たしかにあるのです。

ただ、批判されていた作品は中世ヨーロッパを舞台としたものではなく、中世ヨーロッパ風の架空世界でのファンタジーでした。架空ですから作者が必要とするものは何でも用意していい、とも考えられます。

これは僕の意見ですが、作者がいいと思うならじゃがいもでもトマトでも名古屋コーチンでも登場させていいと思います。それを嫌う読者から批判が来たり拒絶されたりするかもしれませんが、それは作者自身の責任において引き受ければいい。

じゃがいもを出したいけど躊躇もある、というひとは「じゃがいも」という固有の名前を使わず「〇〇イモ」と架空のイモを作ればいい。根や地下茎（ちかけい）などに養分を蓄えた植物をイモと称するのは人間を「人」と称するのと同じですから、問題はないでしょう。

細かなことを気にしていると思われるかもしれませんが、これは書き手の姿勢の問題です。自分が書く作品世界をどう捉えているかをはっきりさせておかないと、こういう瑣末なことで頭を悩ませることになります。


名前の件で、もうひとつ。

小説家志望者から「**小説に現実の地名や商品を出していいのか？**」と尋ねられたことがありました。この件についても私見を述べておきます。

たとえば殺人事件の現場として「名古屋市西区天塚町（あまづかちょう）四丁目」というように実在する地名を使っていいのか？

良いイメージを与える小説なら特に問題視されないでしょうが、殺人現場とか犯人の住居とかに設定すると、実際そこに住んでいる方が不快に感じる可能性があるので、僕ならこういう場合、少しぼかして書きます。この例なら「地下鉄庄内通(しょうないどおり)駅の南東あたり」とか。もっと詳細に場所を設定する必要がある場合は、実在する建物と建物の間の、存在しない空間にすることもあります。

商品や社会現象、実際に起きた事件などを登場させる場合も、書くことによってどんな影響が出るかを考慮した上で、そのままの名前を書くか、それっぽい架空の名前を創作するかを決めます。

これは人間の場合にも当てはまります。いわゆる「**モデル問題**」です。

実在の人物を小説に登場させていいのか？

歴史上の人物なら問題はありません。ただ、直接の遺族（配偶者や子供や孫）が生存している場合は、その方々の同意が必要な場合があります。

現在生存している人間や身近な知り合いを登場させるのは、やはりよろしくないでしょう。あとで揉める危険があります。

ただし、ジャーナリスティックな視点から誰かのことを「書く価値がある」と判断したのであれば、訴訟を起こされることを覚悟の上で書くこともあり得るでしょう。その場合はもちろん、**取材は詳細にしてください。それは相手に対する礼儀でもあり、作者で**

あるあなたを守る装備でもあります。

世界は立場によって見えかたが変わります。

たとえば二国間で戦争をしている場合、どちらも自国に正義があると信じているでしょうし、世界はその正義によって、お互い違って見えているはずです。

小説の舞台となる世界も、登場するキャラクターによって見えかたが制限されることになります。キャラクターに癖があれば、世界もまた違って見えてきます。

一九九〇年代後半に僕は『**新宿少年探偵団**』というシリーズを書きました。新宿に現れた怪人と少年少女が戦うという物語です。タイトルから推察できるとおり、江戸川乱歩の少年探偵団シリーズへのオマージュであり、乱歩が書いたような物語を現代に甦らせてみたいという目論見で書いたものです。舞台を新宿にしたのは、ここなら怪人が出現してもおかしくないと当時の担当編集者から推薦されたからでした。実際、取材してみた新宿は混沌としていて、かなり奇抜な恰好をした人間が歩いていても違和感なく溶け込んでいました。得体のしれない街、というのが僕の印象でした。

しかし新宿は、ただ怪しげな街というだけではありません。新宿駅は乗降客が毎日三百六十万人という世界一の駅であり、駅の西口には都庁をはじめとする超高層ビルが立ち並ぶビジネス街、東口は繁華街とまったく街の容貌が変わってしまいます。また映画館や劇場が多い街であり、一九六〇年代は若者の憧れだった街であり、戦前は田舎だったけど関東大震災以後の都市計画で脚光を浴びるようになった街でもあります。こうした様々な切り口で見れば、街の様相はまったく変わり、そこに生まれる物語も変わってくるのです。

自作の舞台を選ぶときには、自分が書こうとしている小説が世界をどのように見ているものなのかを見極め、それに合致するように切り取ることのできる場所を選ぶと良いでしょう。

世界の創りかたで最後に触れておきたいものがあります。

近年、日本のミステリでは「特殊設定もの」と呼ばれる小説が多く書かれています。

ミステリ、特に本格ミステリでは謎の提示とその解明が論理的であることが重要となるのですが、この場合の「論理的」とは普通、現実世界における物理法則や思考形態に従っているものとされます。「特殊設定もの」とは、そうした現実世界に何かアブノーマル（尋常ではない）な設定を導入し、その特殊設定があるからこその謎、あ

るからこその論理的解明を主眼とする作品のことです。

例を挙げると、このジャンルではすでに古典的名作とされている**西澤保彦**（にしざわやすひこ）**さんの『七回死んだ男』**では、同じ一日を何回も繰り返してしまう体質を持った高校生が、殺害されてしまった祖父を助けるために何度も同じ日を繰り返しながら謎解きに挑むという話。**今村昌弘**（いまむらまさひろ）**さんの『屍人荘の殺人』**は、ある特殊な出来事のせいで山荘に閉じ込められてしまった者たちの間で起こる連続殺人事件を描き、大ヒットしました。また**斜線堂有紀**（しゃせんどうゆうき）**さんの『楽園とは探偵の不在なり』**では〝天使〟と呼ばれる異形の存在が出現して、ふたり以上殺した者は〝天使〟によって即座に地獄に引きずり込まれるようになった世界での「連続殺人」が描かれます。

どれも現実では起き得ない出来事です。その意味でどの作品も架空の世界を舞台とした物語です。しかし作者が考案した特殊設定以外は現実そのままであることも、この作品群の特徴です。つまりこれらの作品は作者が用意した新しいルール上での整合性のある謎解きを楽しむものなのです。

現実世界にこうした「ＩＦ」（もしも）を加えるのは、もともとＳＦのお家芸みたいなものでした。だから特殊設定もののミステリもＳＦと考えられなくもないでしょう。ただＳＦで「ＩＦ」

を挿入した場合、それによって社会、歴史、人生観などがどのように変わっていくかを描くことが目的になります。しかし特殊設定ものミステリではあくまで謎解きがメインです。だから特殊設定による世界の変化まで詳細に描くことなく済ませることも可能です。ただし**自分で設定したルールは厳密に守り、読者も納得するように書くこと**が、もちろん大事なことです。

Note

世界を描く

まずは「現実世界」と「架空世界」のどちらを舞台とするのかを明確にする。
架空と現実の境界を無意識に乗り越えていないかどうか意識することが大事。

- 作中で描かれた世界とは、設定された世界の一部でしかない。
  ➡「読者と世界を共有する」とは、書かれた世界の一部の外にも、広く世界がひろがっていると思わせる書きかたをするということ。

- 小説の中に描かれる世界は、丁寧に矛盾なく遺漏なく描く、と同時に、物語にとって必要な分だけ描く。

- とくに現実世界を描くときには取材をきちっと!
  現実の地名や、実在の人物をモデルにするときには、細心の注意と礼儀を!

- 現実世界に「IF（もしも）」を加えるときには、自分で設定したルールを厳密に守ろう!

第九講

資料を探す／取材する

専業作家となったばかりの頃、僕は小説を書くために歩き回っていました。

資料を探すために書店や図書館へ。

それでも足りないときは現地へ。

小説の土台となる**「事実」**を手に入れるため、直接足を運んだり人に話を聞いたりするなど、能動的に動かなければならなかったのです。

これは現在でも基本的に変わりません。必要な情報は自分から手に入れにいきます。でも、あの頃とは決定的に違っていることがあります。インターネットの存在です。

若いひとにとっては電気やガス、水道と同じように古くから当たり前に存在していたもののように思われているかもしれませんが、一般家庭でインターネットが利用できるようになったのは一九九五年、Windows95がリリースされてからでした。

いざ普及しはじめると、ネットは人間の生活を大きく変えていきました。特に検索サイトと通販サイトの登場は、影響が大きかったと思います。作家の仕事で言えば、知りたいことはネットで即座に検索できるし、資料本も本屋を何軒も渡り歩いて探す必要がなくなりました。本当に良い時代になったものです。

ただ、ネットは便利なだけでなく注意すべき落とし穴もあります。ここでは資料を探し手に入れるための方法、人や物を取材する方法について述べます。

先ず何よりも最初に、声を大にして言いたいことがあります。

それは「Wikipedia は信じるな」ということです。

ネットで調べものをするとき、先ず真っ先に Wikipedia を利用するひとも多いと思います。何を検索しても Wikipedia の記事が上位に表示されますしね。

Wikipedia とは、無料で利用できるネット上の百科事典です。しかし通常の百科事典と異なり、誰でも執筆や変更が可能です。つまり記事は誰によって書かれているか、その記事はどれだけ正しいのか、その信頼性が担保されていないのです。

中にはとても詳細に記述されている記事もありますが、それが正確なものなのかどうか、利用する者には判断ができません。

たとえば Wikipedia で僕「太田忠司」について調べてみると、僕の経歴や著作、映像化作品のリストなど、詳細に記載されています。これらは間違っていません。よく調べ上げられていると感心します。ただ経歴の中に「現在は名古屋市在住。同じく名古屋在住の森博嗣らと交流がある」という一文があります。たしかに僕は今も名古屋に住んでいますし、作家の森博嗣さんと親しくしていただいていた時期もありました。でも森さんが引っ越されてからは十年以上お会いしていないのです。しかしWikipediaの記述を読んだひとは今でも僕と森さんの間に交流があると思ってしまいかねない。

僕自身のことでさえ、こうした微妙な間違いがあるのです。他の記事にも到底、信頼はおけません。

ただ、僕は「Wikipediaを利用するな」とは言うつもりはありません。僕だって毎日のようにWikipediaの記事を読んでいます。

ただ、そこに書かれていることは絶対に鵜呑みにはしません。**必ず裏を取ります**。情報の真偽を確認するのです。

そのためには他の資料を探してみなければなりません。ネット上で検索することでも、それは可能です。しかしその際は、必ず複数の資料を読んで確かめること。中にはWikipediaの記事をコピペ（データを複製し貼り付ける）しているだけのサイトもありますから注意してください。

資料に信頼がおけるかどうかの見極めは、その内容を誰が書いて（言って）いるのかが明確にされているかどうかで、ある程度の判断ができます。可能なら書いたり言ったりしている人物を調べて信頼できるかどうかを確認するべきでしょう。煩雑に思われるかもしれませんが、正確な情報を手に入れるためには必要なことです。


ここでネットでの検索のコツについても書いておきます。

よく言われることですが、**検索にも技術が必要**です。自分が欲しい情報に辿り着くには検索サイトで的確にヒットする語句を入力しなければなりません。

ウェブ解析の仕事をしている江尻俊章（えじりとしあき）氏の著書『ずるい検索』には様々な情報収集の手法が書かれていますが、ネットでの検索結果が自分の思うものと違っている場合は、自分が調べたい情報の解釈を変えることを推奨しています。たとえばじゃがいもを自分の部屋のベランダで育てようとしているときに「じゃがいも 育てかた」で検索すると畑で育てる方法が出てきてしまいます。そういうときに「じゃがいも ベランダ栽培」とすれば、プランターなどを使ってベランダで栽培する方法がわかります。

これは単純な例ですが、調べたいことが複雑で専門的になればなるほど、目当ての情報に辿り着きにくくなります。その問題を解消するには、的確な検索語を知ることが大事になります。ではその「的確な検索語を知る」にはどうすればいいのか？　それには**専門書に眼を通し、そこから語句の知識を得ること**が肝要です。専門書を読むのだったら検索をする必要なんかないだろう、と反駁（はんばく）されるかもしれませんね。そのとおりです。専門書を読むこと以上に必要な情報を手に入れるための上策はありません。でも専門書を読んだ上で検索すれば、それ以上の知識も得られるかもしれません。難しいことを調べたいのであれば、そうしてみてください。

もうひとつ肝に銘じておいてほしいことがあります。

すべての情報がネット上にあるとは限らない、ということです。

むしろネットでは限られた情報しか手に入らないと心得ていてください。

だからこそ、資料は重要です。

ネットは資料を手に入れるツール、くらいに考えておいたほうがいいでしょう。

その資料にも、いろいろなレベルがあります。

可能なかぎり一次資料に（あるいは一次資料に近いものに）当たることを勧めます。

一次資料とは、対象となる出来事と同じ時期に書かれた新聞記事、本、音声記録、写真、日記、絵画、映像、政府文書などの資料を指します。英語だと「Primary Sources」（プライマリー・ソーセズ）と言うものです。

一次資料に対して、**二次資料**というものもあります。これは一次資料などを基にして、考察を加えて書かれたものです。歴史の教科書、百科事典の記述、学者が書いた論文などが、それに当たります。一次資料に比べると信頼性はひとつ下がりますが、資料を作成した者が確かなら、充分に利用ができます。また二次資料には「参考文献」が挙げられていることがメリットです。そこから新しい資料を見つけることができます。

このあたりの資料を調べるには**小林昌樹**（こばやしまさき）**氏の著書『調べる技術』**が少々専門的ですが国会図書館で長年レファレンス（利用者の問い合わせに応じ、図書の照会や検索をする業務）をされてきた方ならではのノウハウが詰まっているので、力強い味方になってくれると思います。

次に**取材の方法**について述べましょう。

小説を書くにあたって取材というのはとても大事なものなのですが、これがかなり大変なことです。

まず、**取材対象にコンタクトを取ることが難しい**。プロ作家であれば編集者が題材に適した取材対象を探してくれて、会ったり出かけたりする段取りを付けてくれます。しかしあなたがプロではない場合、これを自分ひとりでしなければなりません。

考えてみてください。まったくの素人がいきなり面識のない誰かに「小説を書きたいので話を聞かせてください」とお願いして、簡単にOKしてもらえるでしょうか。僕がそんなことを言われたら、間違いなく断ります。怪しいですもん。そんなひとにこちらの時間を割いて自分の持っているノウハウについて明かすなんて、何のメリットもありませんしね。

人ではなく場所でも同じです。ロケットエンジンを製造している会社に「取材させてください」と依頼したところで、マスコミでもないあなたの要望が受け入れられるとは思えません。けんもほろろに拒絶されるのがオチでしょう。

ではどうするか？

冷たいようですが、**諦めてください**。そう簡単に取材できるものではありません。資料などで入手できる範囲の情報で小説を書くしかありません。

あるいは、**取材が可能な小説を書いてください。**題材を、あなたが手の届く範囲から選ぶのです。

もしもあなたが商社に勤めているのであれば、自分が担当している仕事関係からなら、ある程度専門的な情報を手に入れることができるでしょう。これは他のひとには入手困難なものです。なによりあなたはその方面についての知識があり経験もあるかもしれません。それを生かして書けば、その方面に知識のないひとが懸命に取材して書いたものより豊富な知識が盛り込めるかもしれません。

まだ学生だから専門的な知識も情報もない、と思っているあなた。違います。あなたはとてつもなく豊富な情報の真っ只中にいます。現在の学校生活——カリキュラム、学校の設備、給食の内容など——は、僕が調べようとするとかなりの労力が必要となります。現在の学校を舞台に小説を書くには、うってつけの環境なのです。

自分自身がその環境にいなくても、話を聞ける範囲内に取材対象がいる場合もあります。友達の家族や近所のひと、通っている店の従業員、そんなひとたちが思わぬ情報を持っているかもしれません。そうしたチャンスを逃さないためにも、普段から耳や眼から入ってくる情報に敏感でいてください。第三講で書いた「世界を見るための解像度を高くする」ことが、ここでも重要です。それを心がけていると、不思議なくらい必要な情報が、情報のほうから飛び込んできます。今まではスルーしていたものがアンテナに引っかかるんです。

直接取材できないけど小説に登場させたい職業のひとがいる、というとき、ネットを使って**間接的な取材**をすることもできます。

たとえば看護師のことを知りたいと思ったなら、SNSやブログを利用している看護師さんを検索します。結構多いですよ。そこには看護師ならではの日常や愚痴(ぐち)などがかなり克明に書かれています。さかのぼって読んでみれば、仕事のルーティンもわかるようになるでしょう。

これは直接取材相手に会えて話を聞くことができたときにも重要なことですが、そのひとならではの「日常」と「あるある」を知ることが重要です。看護師が、デイトレーダーが、トウモロコシ農家が一日をどうやって過ごしているかがわかれば、キャラクター造型にも大いに役立ちます。

場所の取材の場合、これもGoogleストリートビューという便利なサービスができたおかげで、ある程度は楽になりました。その場に立ったとき何が見えるか、そして何が見えないかがすぐにわかるようになったのです。

ただ、それだけでは不充分なときがあります。ストリートビューの画面からは視覚以外で捉えられるもの――音、匂い、感触などがわかりません。小説に登場させたとき、当然聞こえているはずの工場の騒音とか油の臭いとかが描けないのです。そうした描写が必要な場合は**可能なかぎり現場へ赴いて、自分の五感で確かめてください。**

あるいは取材できないひとの情報を手に入れるときと同じく、その地域のことを書いたネット記事、住民の投稿などを探して読み込み、そこから**情報を仕入れてください。**僕はそうした情報と『地球の歩き方』だけで、行ったこともないモルディブを舞台に一冊書きました。

人や場所に取材して、いろいろな情報や素材が集まったとき、一番大事なことがあります。

それは、捨てることです。

取材して手に入れたものは、どうしても全部使いたくなります。でもそれは、過ぎたるは猶及ばざるが如し、です。余計な情報は小説を殺します。

あくまで物語、キャラクターが主体だということを忘れないように。資料はそれに沿った生かしかたをしなければなりません。

一冊の本を読んで、そこにたった一行でも役に立つ情報があったなら、それで上等と心得てください。まるまる一冊読んでも何の情報も得られなかった、ということも当たり前にあります。その本には必要な情報がなかった、というのはそれ自体が有用な情報です。

逆に取材によって今まで考えてきた物語やキャラクターに修正が必要だと感じたなら、直してください。それでこそ取材が生かされます。

でもこれは、何がなんでも資料に忠実であれ、ということではありません。

取材をした中で自分の想定していたものと矛盾が生じたとして、それを了解した上でなおかつ自分の創作のほうを優先するということも、あっていいと思います。作者が納得ずくであるならいいんです。よろしくないのは取材の不備によるうっかりミス、そしてどっちつかずの態度で作品にブレを生じさせることです。

なお、**参考にした文献などは最後に明記しておくことを忘れないように。**文献の著者への礼儀でもありますし、読者への心配りでもありますゆえ。

Note

小説の土台となる「事実」を手に入れるために、
取材し、調査をしよう！

- 「Wikipediaは信じるな」！
  検索にも技術が必要。専門書を読み、語句の知識を得ることが肝要！

- ネットを使った間接的な取材を活用しながらも、可能なかぎり現場へ赴いて、自分の五感で確かめる！

- 取材を断られることだって、普通にある。
  ➡取材可能な小説から取り組む！

  一冊の本を読んで、たった一行でも役に立つ情報があれば、それで上等。情報を手に入れるのは、それだけ大変。

  けれど、取材して得た情報を時には潔く捨てること。そして、取材によって物語やキャラクターに修正が必要だと感じたら、潔く直す！

- 参考文献の明記は忘れずに！

第十講

長編を書く

最初に告白しておきます。

僕は長編を書くのが苦手です。

これまで何十冊も長編小説を書いてきて今更苦手だとか言うのかよ、と言われそうですが、偽らざる事実です。

もともとショートショートから小説を書きはじめたのも、短い形式のもののほうが書きやすかったからです。

短いから短時間で書ける、ということだけではありません。長編はその長さに応じた構成が必要となるし、登場人物も多くなります。だから考えなければならないこともたくさんあって、頭の中の交通整理が大変です。

キャラクターの性格が途中で変わっていないか、拾い忘れた伏線はないか、前半と後半で物語に矛盾が生じていないか、そんなことを気にしながら長い時間、執筆しなければなりません。この作品はいつ書き終わるのか、書き終えられるのか、そもそもこれ本当に面白いのか、と、書いているうちに疑心暗鬼に駆られてしまい、しんどくなります。

そのしんどさに耐えながら一語一語、言葉を紡いでいかなければならない。まさに難行苦行です。僕は最初の長編を書くのに、会社員生活の合間を縫って二年の歳月をかけました。今は専業作家ですが、それでも長編一本を書くのに数ヶ月かかります。

そうまでしてなぜ長編を書くのか、と訊かれる前に答えます。もちろん長編を依頼されるからという職業的な理由もありますが、**僕の頭の中に長編でなければ表現できない物語があるから**です。それを形にするには、長くなることを覚悟して書くしかない。なので今日も泣き言を言いながら、長編の原稿を書いています。

そういう人間が長編の書きかたについて講釈するのも身の程知らずなことだと思いますが、同じように長編が苦手、長編の書きかたがわからないひともいると思うので、僕なりに長年やってきた上での結論を述べます。

とりあえず、「**三幕構成**」に頼りましょう。

「三幕構成」については、いろいろな本で解説されているので、知っているひとも多いかもしれません。でもこの本は初心者が読むことを前提としているので、あらためて説明しておきます。

「三幕構成」とはもともと映画の脚本術として、脚本家シド・フィールドによって提唱された物語の構成方法です。

この方法に従うと、物語は第一幕、第二幕、第三幕の三つに分けられます。それぞれが「発端、中盤、結末」に相当します。

- **第一幕**（**発端**）では、舞台となる世界の説明があり、主人公が明示され、その主人公がどんな問題を抱え、これから何を目的にしていくのかが描かれます。
- **第二幕**（**中盤**）では、主人公がさまざまな問題に直面し葛藤し、ときに乗り越えたり、ときに挫折したりしながら物語を進めていきます。
- **第三幕**（**結末**）では、主人公が最後で最大の難関に挑み、その結果として勝利したり、あるいは失敗しながらも何かを得て変化を遂げることで終結します。

この三つのブロックで構成されているので「**三幕構成**」と呼ばれるわけです。

現在、世に出てくる映画の多くは、この三幕構成を元に脚本が書かれています。というか、過去の作品の脚本を解析しても、やはりこの三幕構成に則って書かれているものがあるそうです。つまりこの構成は物語を語るための定石――最適な方法なのです。そしてこの構成は長編小説にも応用が可能です。

そんなに多くの作品が使っている方法で書いたら既存の作品の亜流にしかならず、オリジナリティがなくなってしまうのでは？　という疑問が湧くかもしれません。しかしこれまでこの構成でいくつもの作品が作られヒットしてきたことが、キャラクターやストーリーの面で独自性を出せば構成に関しては同じものでもかまわない、むしろこの構成にしたほうが受容されやすいことを証明していると思います。

もちろん三幕構成に当てはまらない映画、小説もたくさんあります。そういうものを作りたい、作ることができるというのであれば、そちらを目指してください。でも長編の書きかたがわからないで悩んでいるのなら、勉強のつもりで一度、この三幕構成を試してみることを勧めます。

三幕構成について、もう少し詳しく解説します。

第一幕をさらに細かく分けると、以下のようになります。

・オープニング——これから始まる物語がどのようなものなのかを提示し、合わせて主人公を登場させます。

- **セットアップ**――物語の世界観と主人公以外の脇役を紹介し、主人公の身に起きるであろう変化を予感させます。
- **きっかけ**――主人公の運命が大きく変化する出来事が起こります。この出来事が物語のメインとなるプロットに繋がっていきます。
- **問題提起**――主人公は「きっかけ」で起きた出来事に対して自身の態度を決定し、決断しなければならなくなります。

次に第二幕。この部分はミッドポイントと呼ばれる重要な転換点を挟んで前半と後半に分かれます。まず前半です。

- **決断**――主人公は「問題提起」を受け、どうその問題に対処するか決断します。その決断にはどのようなリスクや危険が考えられるかも提示されます。
- **物語の盛り上がり**――主人公は様々なトラブルに立ち向かい周囲と衝突しながら、目的を達成しようと努力します。

- **ミッドポイント**——努力の結果、ちょっとした成果（あるいは偽りの勝利）を得たと思った次の瞬間、主人公の計画を打ち砕くような出来事が起こり、主人公は危機に陥ります。

続いて第二幕後半。

- **さらなる困難**——ミッドポイントで起きた出来事により主人公の運命は急降下します。
- **ピンチ**——主人公はすべてを失い、目的を達成することなど到底不可能に思える最悪の状況に陥ります。
- **ターニングポイント**——すべてを諦めかけたとき、予期せぬきっかけやまったく新しい考え、インスピレーションが訪れて希望が湧いてきます。

そしていよいよ第三幕に突入します。

- **覚醒**――主人公は自分が本当に求めているものは何か、それを阻んでいる真の敵は何かを知ります。そして何をするべきかを悟ります。
- **クライマックス**――主人公は真の敵、または最大の障害と真正面から対決し、勝利をおさめます（または敗北しますが、それにより何らかの収穫を得ます）。
- **終局**――クライマックスの後、主人公やその周囲の世界が変わったことを描きます。ここは「オープニング」の対となるものです。

こうしてひとつの物語が完結します。

どうでしょうか。あなたが好きなあの映画、あの小説をこの構成に当てはめてみてください。かなり当てはまるものがあると思います。

大学で小説の書きかたについて教えていたとき、三幕構成の例として**ディズニーのアニメ映画「ズートピア」**の構成を自分なりに切り分けて解説していました。

なぜ「ズートピア」なのかというと、僕が一番好きなディズニーアニメであるから、という理由もありますが、三幕構成のお手本として最適だと思うからです。実に見事です。できれば映画を観てください。そして自分なりに三幕構成に解析してみてください。

三幕構成の内容を見ると、**主人公はトラブル続きである**ことがわかります。主人公を襲う試練は決して単純なものではありません。ちょっとした揉め事から人生に関わる大きな問題まで、様々な出来事に遭遇することになります。

実際に読んだ長編の主人公ってそんなにトラブルに見舞われていたっけ、と思うかもしれません。でも三幕構成の視点から見直してみると、意外と多くの問題を背負わされていることに気づきます。寝坊して学校に遅刻しそうになるとか、慌てて学校に向かって走っているときに知らない誰かとぶつかるとか、やっと教室に到着したらぶつかってきた奴が転校生だったとか……そんな具合にトラブルに見舞われ、その都度立ち止まったり悩んだりしながら物語は進んでいくのです。

もしもあなたが長編を書こうとして、どうしても先に進められなくなっているとしたら、主人公をいじめ足りないのかもしれません。もっとトラブルを起こし、もっと迷惑がらせてください。

主人公だけでなく、**脇役にトラブルを与えてみる**のも大事です。

大事なのはトラブルによってキャラクターたちが葛藤することです。

第六講で「物語とは何かの出来事についての一部始終を言葉にして語って聞かせるもの」「一部始終とは、問題が起きて、それがなんとかなるまでということ」と書きました。「問題が起きて、それがなんとかなる」とは即ち葛藤とその克服のことです。先に挙げた脚本家のシド・フィールドは「**ドラマはすべて葛藤だ**」と断言しています。

葛藤はキャラクターの中に何かを成したいという目的があることによって、より強く深刻に、そしてドラマチックになります。そのためには前に書いた「面接」でキャラクターの内面をより深く理解することが役立つでしょう。そして第六講で挙げたような試練を、あなたのキャラクターに与えてみてください。

いきなり三幕構成で物語を組み立てるのは難しい、というひともいるかもしれません。そんなひとのために、僕が考えた方法を教えます。

これから書こうと思っている作品の予告編を想像してみる、というやりかたです。映画館で本編が始まる前にいくつか見せられる、あの予告編です。

これから映画を観ようとしている観客に「こっちの映画も面白いから観に来てね」と誘うためのものですから、そこには面白さの肝が詰まっています。

そうした予告編をいくつも見せられながら、作品の内容ではなく予告編の作りかたで特に興味をひかれたものがどんな構成になっているか、自分なりに分析してみました。するとこれが一定のパターンに従っていることが見えてきました。それは次のようなものです。

1 印象的なシーン
2 主人公の登場。抱えている問題。
3 転機。良いひとと出会う。
4 試行↓失敗↓小さな成果。
5 敵の登場。
6 立ち向かう。
7 失敗。どん底。
8 でも……。
9 フィナーレの予感。

順に説明していきます。

1 冒頭、まだ誰ともわからない人物の印象的なシーンとセリフで始まります。

2 次に主人公が紹介されます。たいてい俯(うつむ)いていたり集団の中で孤立していたりして、決して朗らかには見えなかったりします。

3 そんな主人公の前に誰かが現れたり、何か今までと違う経験が訪れます。

4 主人公が新たなチャレンジを始めます。最初はうまくいかない。でもまたチャレンジ。そして、ちょっとだけうまくいく。

5 自信を持ちかけた主人公の前に敵（あるいは敵対的な状況）が現れます。人間なら主人公よりレベルが上。状況なら主人公の力ではどうしようもない感じ。

6 それでも主人公は敵に立ち向かっていきます。

7 しかし敗北。主人公は冒頭のときと同じか、あるいはそれ以下の状況にまで落ちぶれます。失意のどん底です。

8 でも、そこに一縷(いちる)の希望が訪れます。再び立ち上がる主人公。

9 予告編ですから、ここから先は教えてくれません。でも主人公が何らかの結末を迎えることは予感させます。

「チャレンジ」とか「敵」とか書くとスポーツものみたいですが、これはあらゆるジャンルで応用できる予告編です。

自分が書こうと思っている物語をこの予告編風に解析してみてください。どこか足りなかったりするのが見えてくるでしょう。そこを補強すれば、あなたの物語の構成はしっかりしたものになります。

構成をしっかりすることで物語を進めるお膳立てはできますが、実際に進めるのはキャラクターたちです。**構成に無理に当てはめてキャラクターの魅力を殺さないよう心がけてください。**逆の場合、つまりキャラクターが奔放に動いて構成を崩すようなときは、それほど気にすることはありません。むしろ**キャラクターに合わせて構成を変える**くらいのことはしてもいいでしょう。

三幕構成は便利なツールですが、それ以上でもそれ以下でもありません。構成どおりに物語を進めることを目的にするのではなく、物語を進めるために構成を利用してください。

前にも書いたように、三幕構成に当てはまらなくても面白い小説はたくさんあります。逆に三幕構成に忠実でも面白くなるとは限りません。小説を面白くするのは、わくわくするストーリー、魅力あるキャラクター、印象に残る描写やセリフ、そういったものです。そこにこそ、あなたの個性を生かしてください。

構成の他に、長編を書く場合に僕が心がけていることを書いておきます。

まず大事なのは、**キャラクターを見失わないこと**です。主人公は当然として、長く原稿を書いていると主要なキャラクターなのに途中で登場しなくなってしまうことがあります。途中で忘れてしまうんですね。

ちょい役なら途中で出番がなくなってもいいんですが、そういうキャラクターにも物語上の役割というものがあり、それをちゃんと果たさせた上で退場させなければなりません。

そういううっかりを防止するためにも、**キャラクター表**は作っておきましょう。名前、性別、年齢、作品で書かれている情報（出身地や職業、嗜好や重要なセリフなど）を、ちょい役も含めて書き留めておき、いつでも参照できるようにしておきます。

呼称も記録しておくべきですね。自分をどう呼んでいるか（「俺」か「僕」か、など）、他のキャラクターをどう呼んでいるか（「君」か「おまえ」か、など）。これ、途中でわからなくなって、書いた原稿を何度も確認することがあります。

伏線やフラグになりそうな描写や会話を書いたときも、メモしておきましょう。思わせぶりなことを書いたら後に回収しておかないと、読者に駄目出しされます。ただこれも第六講で書いたように、何がチェーホフの銃と見なされるかは読んだひとによって差があるので、自分の判断でかまいません。

第二講で短い小説を書いてみた方へ。
これまで僕が書いてきたキャラクター、文章、構成などの話を踏まえて、もう一度その小説を読み返してみてください。
ほんの数行かもしれないその小説、もう少し世界を広げたりキャラクターを増やしたりして、もっと長いものにできる気はしませんか？

長編でなくてもいいんです。もう少しだけ、長い話が書けるなら、リライト（書き直し）してみてください。

もっと面白いものになるはずです。

Note

長編を書くのは大変！

キャラクターの性格に矛盾がないか、拾い忘れた伏線はないか、前半と後半で矛盾は生じていないか……。


頭の中の整理も膨大で、長い執筆期間の間にはしんどさもある。


でも長編を書きたい！

ならば、とりあえず三幕構成に頼りましょう！


第一幕（発端）……世界と主人公が明示され、主人公の問題や目的が描かれる。

第二幕（中盤）……主人公が問題に直面し、葛藤し、克服し、挫折しながら、物語が進む。

第三幕（結末）……最大の難関に挑む主人公が、勝利し、または失敗しながら変化を遂げる。

- 三幕構成では、主人公は驚くほどトラブル続き！
  けれど歴史的な名作もそのようにつくられている。

  ➡名作を三幕構成的に分析してみるのもひとつのトレーニング。

- 予告編を想像しながら、構成を練ってみるのもグッド！

ただし、三幕構成はツールのひとつにすぎない。

構成に引っ張られて、キャラクターの魅力を損ねたり見失ったりしないように心がける！

Column『タイトルは小説の顔』

書店に並んだ本は、まずタイトルから眼に留められます。タイトルは小説にとって顔であり、手に取ってもらうための「つかみ」です（同じくらい本の装幀も読者の注意を惹きつけるのに重要な要因（ファクター）ですが、こちらは作者の力の及ばない部分なので今回は採り上げません）。それくらい、プロ作家にとって重要なものです。

だからこそタイトルを付けるのは難しいことです。僕も作品によってはパッと思いつくこともありますが、書き終えてもタイトルが決まらず悶々と悩むこともあります。

その上、出版社からタイトルの変更を要求されることも多々あります。タイトルが作品の商品価値を決めるのですから、これも当然でしょう。どうしても変えたくないと思ったときには断固として抵抗しますが、あれこれ悩んだ末になんとか付けたタイトルだと自分でも自信が持てなくて、担当編集者が考えたタイトルに変更することもあります。僕の著作でも三分の一くらいは僕ではなく、出版社が付けたタイトルで出版されました。

タイトルにも流行があります。僕がデビューした一九九〇年代はミステリだと『〇〇殺人事件』というタイトルが多かったように記憶しています。その頃に僕が書きはじめた狩野俊介シリーズは『月光亭事件』『幻竜苑事件』というようにタイトルを『〇〇〇事件』というフォーマットに統一しているのですが、これも当初は出版社から『月光亭殺人事件』にしてほしいという要望がありました。でも僕は、誰も彼もが『〇〇殺人事件』というタイトルにしていた状況に自分の作品が埋もれてしまうことを恐れ、それだけは避けたいと思いました。だから当時の編集長に手紙を書き、自分の思いを伝えました。それが聞き入れられ、主張どおりのタイトルで出版することができたのですが。

事程左様に、タイトルを付けるというのは難しいことです。そこには作品としての価値と商品としての価値がぶつかる、せめぎ合いがあります。

もしあなたが自分の書いた作品を新人賞に応募して、それが受賞、出版ということになったら、タイトルについてはかなりの確率で変更を求められると覚悟しておいてください。

じゃあタイトルなんて自分がどう付けても意味がないのか、と思われるかもしれません。

いいえ、そんなことはありません。最初に書いたようにタイトルは小説の顔です。自分の顔のことをまったく気にしないでいられるひとは、まずいないでしょう。たとえ出版時に変えられるとしても、それまでは自分なりに考えたタイトルを付けておかなければなりません。そのタイトルがそのまま本になれば、とても気持ち良いことです。もちろん出版を前提としていない作品であっても、やはりタイトルは必要です。

では、どうやってタイトルを付けたらいいのか。

一番わかりやすいのは作品の要約をタイトルにすることです。

その作品は何がどうなる話なのか？

それを直接タイトルにしてしまうのです。

この例として挙げるとしたら、やはり小松左京（こまつさきょう）の『日本沈没』でしょう。そう、日本が沈没する話です。これ以上にシンプルかつインパクトのあるタイトルは他にはありません（もっとも、このタイトルは実は編集者が付けたものだそうです。小松左京は当初『日本滅亡』というタイトルを考えていたとか）。

あなたの作品がたとえば「七十歳を超えた祖父が突然婚活を始める話」なら、タイトルはずばり『祖父の婚活』でいいでしょう。ちょっと柔らかい感じで『お祖父ちゃん、婚活はじめました』というのでもいい。

要約をタイトルに変換するのにも、個人のセンスが問われます。これは小説家ではなくコピーライターの才能が必要なのかも、と思うこともあります。

第十一講

プロ作家になりたいひとへ

初めに書いたように、**この本は小説を書いてみたいと思っているひと、書きたいけれどうまく書けないでいるひとのために書いています。つまり初歩の初歩。ビギナーのための本です。**

だからあなたがもしもプロの作家——小説を書くことで収入を得たいと思っているのなら、この本を読んでもいささか不満を感じてしまうことでしょう。そちらのノウハウについては書いていませんから。

折角プロの作家が書いているんだから、そういうことも教えてほしい、と、そう思われているかもしれません。そういう方には前に紹介した鈴木輝一郎さんの本などがうってつけだと思いますが、この本でも最後に少しだけ、そういう話をしておこうと思います。

結論から言います。プロ作家になることは、あまりお勧めしません。

まず**出版界の実情**から話しておきましょう。

バブル崩壊以降、日本の景気は低迷を続けていますが、出版業界も例外ではありません。

書籍と雑誌の売上は一九九七年の二兆四千七百億円をピークに減り続け、二〇一二年にはピーク時の半分未満の一兆二千八十億円にまで縮小しています（経済産業省・商業統計より）。

僕の実感では、専業作家としてデビューした一九九〇年と比較すると現在の市場は三分の一以下になっているように思えます。それくらい本も雑誌も売れなくなっているのです。

そんな状況下で、作家が手に入れられる収入も減り続けています。

単純な計算をしてみましょう。僕の最初の著作である『僕の殺人』（一九九〇年）は定価が六八〇円でした。著作による収入を**印税**（いんぜい）と言いますが、**通常は定価の十パーセント**がそれに当たります。この場合、一冊六八円です。

本はその印刷部数で印税が支払われます。千部印刷したら売れ残っても千冊分の印税がもらえるわけです。

『僕の殺人』の初版部数は一万八千部でした。

68円×18000部＝122万4000円

一作で百二十万円の収入があったのです（もちろんここから源泉徴収などが引かれますが）。

しかもこれ、文学賞といった実績などもまるでない新人の最初の本です。それでもこれだけの部数を印刷してもらえたのが、九〇年代の出版業界でした。『僕の殺人』はノベルスという最近あまり見かけなくなった判型の本ですが、当時は新人でも二万部前後の初版部数があったのです。

現在、単行本なら五千部以下、文庫でも一万部はまず見込めないでしょう。

仮に定価千円の本を五千部出版できたとしたら、その印税は五十万円ほどです。その本を執筆するために六ヶ月かかっていたとしたら、月収は八万円ちょっと。到底、専業でやっていける収入ではありません。

もちろん、売れたら状況は変わってきます。五万部売れれば五百万円！　十万部売れたら一千万円！　夢はふくらみますね。

でも、そんなに売れる本はめったにありません。本が売れて重版する確率は一割以下だそうです。さらに売れて二刷、三刷と版を重ねていける本なんて、年にほんのわずかしか出てきません。ほとんどの本が初版どまりで消えていきます。

著者にとって他にもよろしくないことがあります。**電子出版**です。印刷しただけ印税がもらえる紙の本とは違い、こちらは**実売数**で報酬が支払われます。もちろん印税率は上がりますが、それにしたって十五パーセント程度です。将来的に電子でのみの出版が当たり前になったら（漫画の世界ではそうなりつつあります）、小説で収入を得ることは、さらに難しくなるでしょう。

新人賞など受賞してデビューするひとに、出版社の編集者がまず最初に言うことは「**今の仕事を辞めないでください**」だそうです。最初の本が出て「これで俺も専業作家だ！夢の印税生活だ！」と舞いあがって人生を狂わせないよう、戒めているわけです。

そんな状況ですから、軽々にプロ作家になることを勧められはしません。せめて兼業でやっていくつもりで他に収入源を確保しておいてほしく思います。

でも、僕がプロ作家になることをあまり勧められないのは、こうした経済的な面からだけではありません。もっと深刻な、命に関わる問題があるのです。

僕は常々、**小説を書くこととスポーツをすることは似ている**と思っています。

スポーツは体にいいこと、だと思われています。健康のために運動しなさいと医者に指導されているひとも多いでしょう（僕もそのひとりです）。適度に体を動かすことは、たしかに体にいい。**適度なら、ね**。

でもこれがたとえばプロのアスリートになるとかオリンピックでメダルを獲るとか、そういう目標を持ったとしたら、どうなるでしょうか。きっと毎日過酷な練習が続き、肉体を酷使し、ぎりぎりまで節制しなければならなくなる。ときには大きな怪我をしたり、命を失うことさえある。そうした犠牲を払っても、プロ選手になれるのはひと握り、金メダルを獲れるのはひとりです。そうなれなかった者は敗者と呼ばれます。

小説家も、実は同じようなものです。

よく作家仲間と冗談まじりに言うんですが、「小説家になりたい」と言うひとの九割は小説を書かないし、小説を書いたひとの九割はプロになれないし、プロになったひとの九割は二作目が出せなくて消えていきます（数字に根拠はありません。でも、こんな感じです）。

そして運良くプロ作家になれたとしても、作家生活というのは思った以上に過酷です。心血注いで書いた作品が売れないと、もう次の本は出せないのではないかと不安になる。そもそも自分の書いているものが本当に受け入れられているのかどうかもわからない。書いたものを編集者から駄目出しされて没になる。ネットでエゴサーチすると自作が酷評されて気が滅入る。メンタルに悪いことばかりです。眠れなくなったり食べられなくなったりして精神的に不安定になり、薬に頼ることもあります。肉体的にも座りっぱなしの生活が良いわけもなく、腰痛をはじめ体のあちこちを悪くします。こうした生活を続けていくのがプロの作家です。文字どおり、命を削って書くことを続けています。削りすぎて命を失くしたひともいます。

僕はこの仕事を始めた頃、作家生活とはゴールのないマラソンみたいだと思っていました。でもしばらくして、**これはマラソンじゃない、遠泳だ**と思い至りました。マラソンならやめたくなったら足を止めればいい。でも泳いでいるときに足を止めたら、沈みます。

そんなに苦しいのに、なぜ小説家を続けているのか。

僕の場合、他に方法がなかったからです。

第一講で書いたように、当時の僕は残業百時間を超えるハードワークの中にいました。会社員の仕事と小説を書くことは両立できなかったのです。

僕は小説を書きたかった。他のことはしたくない、いや、できなかった。ただ小説を書いて生きていたかった。

それを叶えてくれる職業はたったひとつだけ、小説家でした。

僕以外にも、そういう小説家さんはいるかもしれません。あるいは他の理由があったにせよ、結局は小説家になるしかなかったひとが、小説家になっているのだと思います。

ならば小説を書くことは苦行でしかないのか。何の喜びもないのか。

いいえ。**喜びならいくらでもあります**。

小説を書くこと。それこそが他の何にも替えがたい大きな喜びです。

頭の中に浮かんだ物語を文字にして定着させていくこと。それ以上に楽しいことを、僕は他に知りません。

その上、書いたものが本になって書店に並び、誰かの手に届くのです。夢みたいです。その夢が現実に起こっている。

エブリデイ・マジック（everyday magic）という物語形式があります。日常生活の中に不思議なことが起きるファンタジーのことです。小説家はエブリデイ・マジックを生きています。毎日が不可思議です。世界を違った眼で見て、今までなかった物語を紡ぎだしている。

出版した本を、僕は宛て先のないラブレターだと思っています。誰に届くのかわからない。でも「届け！」と願いを籠めて世に出します。ほとんどが一方通行で、返事はありません。誰に届いたのか、そもそも届いているのかもわからない。

でもときどき、奇跡が起きることがあります。何年も前に出版して、ほとんど話題にもならず、僕自身も内容を覚えていない作品の感想が、突然ネットで見つかることがあるのです。「面白かった」と一言だけ。それで充分です。届いたのだとわかります。自分の書いているものが無意味ではないとわかります。

小説を書くこととスポーツをすることは似ている、と書きました。ならば、適度に体を動かすように小説を書く、ということも可能ではないか。最近僕はそう思っています。会社員時代の僕のようなハードワークでなければ、ですが。

プロを目指すのではなく、小説で生計を立てるのではなく、楽しみながら小説を書く。

俳句や短歌の世界では、すでに当たり前のことでしょうね。

小説の世界でも、たとえばネットで作品を発表したりして（ただしランキングなどに拘泥することなく）自由に書いたり読んだりすることが可能なのではないか。そういう小説との付き合いかたもあるのではないか。そんなことを考えているのです。

Column『小説の書き方を教える』

田丸雅智さんのショートショートの書き方講座が小学四年生の国語教科書に採用された、ということを知ったとき、学生生活を通じて小説の書きかたについて教えられたことはなかったので、僕にとってはなかなかの驚きでした。

もしも自分が小学生だった頃に授業でショートショートの書きかたを教えられていたら、どんなものを書いただろう、と想像してみたりもします。

「はじめに」で書いたように、この本は大学やワークショップで教えたときのノートを元に書いていますが、小中学生が小説を書こうと思ったときに役立てるようにも書いています。もしかしたら授業で参考にされる先生もいらっしゃるかもしれません（そうであったら本望です）。

僕が大学で教えたのはたった二年なので、教えかたについて講釈を垂れるなんて大それたことはできないのですが、それでも教える立場として心がけていたことはあります。

それは「絶対に否定から入らない」ということです。学生（受講者）が提出した作品の良いところをまず最初に指摘する。修正が必要な場合でも「こうすれば、もっとよくなりそう」というスタンスで伝える。

大事なのは、小説を書くこと、何かを作りだすことの楽しさを味わってもらうことです。それを損ねるようなことはしない、というのが基本です。

あるワークショップで小学生の女の子が「庭に咲いた花でドレスを作る」という話を書いてくれました。とても愛らしいお話でした。僕はその子に「このドレスを着て、何をしようか？」と尋ねました。すると彼女は少し考えてから「おまつり」と答えました。僕は「いいね。花をいっぱい着てお祭り。他に誰か来るかもしれないね。音楽が聞こえてきて、みんなで踊って……」と話を広げてみました。するとその子の表情がぱあっと輝いて、自分から想像を広げていくのがわかりました。

もしかしたら彼女は、その後でお話の続きを書いたかもしれません。そうやって物語を紡ぐ楽しさを知ってくれたかもしれません。確証はないけど自分は種を植えることはできたと思っています。

大学で教えたときは、優良可不可の判定をしなければなりませんでした。正直、小説に優劣を付けるのは苦手です。でも日本SF大賞の選考委員をしたこともありますし、現在では「コトノハなごや」という名古屋市文化振興事業団が主催している文学賞の選考委員を続けています。そういう立場になるというのも、ある程度のキャリアを積んだ者の責務なのかなあと思っています。

採点についてですが、大学ではこの本の流れと同じく、学生にまずショートショートを書かせ、その後アイディアやキャラクターやプロットの話をした後に、最初に書いた作品を授業の内容を踏まえてリライトしてもらいました。その作品を提出してくれたら合格。あとは個々の作品を読んで優良可を決めました。

優良可の付けかたですが、文学賞の選考と同じく、自分の直感に頼っています。それまでの読書遍歴やその他の経験を基に築き上げてきた自分の感性に従う、ということです。

誤字脱字や、直筆の場合の文字の上手下手は考慮しません。作品の内容が面白いものを優としました。

多数の選考委員と共に選考すると、評価がまったく分かれることがあります。というか、分かれるのが当たり前です。だから協議して受賞作を絞ることになるのですが、先生ひとりで採点するときには、そういう他者からの意見がありません。これはかなりキツいことです。でも、やらなきゃならない。

もし生徒に「どうして私の作品が優じゃないんですか?」と詰め寄られたら、「自分がそう思ったから」としか答えられない。でも、その答えに責任と自信を持ちましょう。そして問いかけてきた生徒に言いましょう。

「他の先生なら君の作品を優にするかもしれない。でも君の教師は私だ。不満なら私が優を与えざるを得ない作品を書きなさい」

傲慢(ごうまん)かもしれませんが、教える立場にある者は、そう言うしかないのです。

おわりに

この本は僕が小説家として普段行っていることをそのまま記したもの、ではありません。

僕が最初に小説を書いたのは中学生の終わりの頃でした。それまで読書という習慣がなく、ほとんど本を読んだことはありませんでした。それが中学の図書室でたまたま手に取った本（小林信彦の『大統領の密使』というミステリです）を読んで、一気に小説の魅力に取りつかれました。

で、すぐに自分でも小説を書こうと思った。

小説について疎かった僕は、小説を読んで面白いと思った人間は、みんな自分でも書くものだと思い込んでしまったんですね。それで書いてみた。そしたら、書けてしまった。原稿用紙五枚程度の、たいしたことのないショートショートです。でも最後まで書けたんです。

僕は、この本の読者として想定している「小説を書きたいと思っているけど書けないでいるひと」ではなかったのです。書きたいと思って書いてしまった人間なのです。だから正直なところ「書きたいけど書けない」という状況が、よくわからない。書きたいのならなぜみんな小説を書かないのだろうと、それが不思議だったのです。

でもプロの作家になって「本を読むけど書かないひと」と話をしたり、ワークショップで小説を書きたいひとと接しているうちに、じつは僕のような人間のほうが希少種なのだと気づきました。みんな書きたいけど書けないでいるんだと。


大学で小説の書きかたについての集中講義をしてほしいという依頼をされたとき、ならば僕のやっていることを文章化してみようと思いました。僕の「書けてしまった」を伝えられれば、みんなも書けるようになるのではないかと思ったわけです。

でも全然、そうじゃなかったですね。自分が小説を書くプロセスを文章にまとめようとしても、なかなか形にできない。自分のやっていることを言葉にするためには、映画の脚本や小説の書きかたを解説している本を資料として、自分の書きかたを細かく分析しなければならなかった。

この作業を続けているうちに、「これは逆上がりだな」と思いました。

あなた、鉄棒の逆上がりって、できますか？

僕は子供の頃から全然できないんです。体育の先生に教えてもらったけど、無理でした。でも逆上がりって、できるひとはあっさりできてしまうんですよね。そして、そういうひとに「逆上がりって、どうやるの？」と訊いても「どうって、こうやって鉄棒を持って、足をブンって上げればできるよ」みたいなことしか言わない。体育の先生でさえ、似たりよったりの指導しかしてくれませんでした。みんな、言語化できないんです。だから説明できない。

小説の書きかたを文章にするのは、それと同じでした。言葉にできないものを言葉にする苦労がありました。まあ、小説を書くという行為がそもそも、言語に尽くしがたいものを言語に尽くすことなんですけどね。

結局、この作業は自分を解剖するようなものになりました。混沌とした中からノウハウとして形にできるものを抉りだし、摘出する。かなりキツい仕事でしたが、自分を再発見する契機にもなりました。

ひとつ大切なことを言い添えておきます。

この本に書かれていることだけが正解だと思わないでください。

誰にでも、そのひとに適した書きかたがあります。この本を読んでみて、書いてあることを実践してみて、コレジャナイと思ったら、自分の書きやすい方法で小説を書いてください。これは、その方法を見つけるための本でもあります。

大学で教えるのは二年で挫折してしまいましたが（人前に立って九十分も喋るなんて無理でした）、講義の最後にひとりの学生が「今期受けた授業で一番面白かったです」と言ってくれたことが、勲章のように僕の中で光ってくれています。

願わくば、僕が教えた学生たちが、小説を書く楽しみを持ち続けてくれますように。

そして願わくば、この本を読んだあなたが、小説を書いてみてくれますように。

そう、心から願っています

参考文献

●シド・フィールド『映画を書くためにあなたがしなくてはならないこと シド・フィールドの脚本術』
安藤紘平・加藤正人・小林美也子・山本俊亮訳　フィルムアート社

●シド・フィールド『素晴らしい映画を書くためにあなたに必要なワークブック シド・フィールドの脚本術2』
安藤紘平・加藤正人・小林美也子監修　菊池淳子訳　フィルムアート社

●ジェーン・K・クリーランド『物語のひねり方 読者を飽きさせないプロット創作入門』吉田俊太郎訳　フィルムアート社

●ブレイク・スナイダー『SAVE THE CATの法則 本当に売れる脚本術』菊池淳子訳　フィルムアート社

●ジェシカ・ブロディ『SAVE THE CATの法則で売れる小説を書く』島内哲朗訳　フィルムアート社

●ラリー・ブルックス『工学的ストーリー創作入門 売れる物語を書くために必要な6つの要素』
シカ・マッケンジー訳　フィルムアート社

●E・M・フォースター『E・M・フォースター著作集8　小説の諸相』中野康司訳　みすず書房

●田丸雅智『たった40分で誰でも必ず小説が書ける　超ショートショート講座　増補新装版』WAVE出版

●鈴木輝一郎『何がなんでも新人賞獲らせます！』河出書房新社
●江尻俊章『ずるい検索』クロスメディア・パブリッシング
●小林昌樹『調べる技術――国会図書館秘伝のレファレンス・チップス』皓星社
●松本清張『随筆 黒い手帖』中央公論社
●都筑道夫『黄色い部屋はいかに改装されたか？』晶文社
●西澤保彦『七回死んだ男』講談社
●今村昌弘『屍人荘の殺人』東京創元社
●斜線堂有紀『楽園とは探偵の不在なり』早川書房
●井手聡司『三幕構成の研究』
●『別冊歴史読本 日本の苗字ベスト30000』新人物往来社
●『別冊歴史読本 日本の「なまえ」ベストランキング』新人物往来社

読んだら最後、小説を書かないではいられなくなる本

二〇二四年 八 月二六日 第一刷発行
二〇二四年一一月一一日 第三刷発行

著　者　太田忠司

発行者　太田克史
編集担当　前田和宏

発行所　株式会社星海社
〒一一二-〇〇一三
東京都文京区音羽一-一七-一四 音羽YKビル四階
電　話　〇三-六九〇二-一七三〇
FAX　〇三-六九〇二-一七三一
https://www.seikaisha.co.jp

発売元　株式会社講談社
〒一一二-八〇〇一
東京都文京区音羽二-一二-二一
(販　売) 〇三-五三九五-五八一七
(業　務) 〇三-五三九五-三六一五

印刷所　TOPPAN株式会社
製本所　株式会社国宝社

アートディレクター　吉岡秀典(セプテンバーカウボーイ)
デザイナー　山田知子＋チコルズ
フォントディレクター　紺野慎一
校　閲　鷗来堂

ISBN978-4-06-537093-3
Printed in Japan

307
SEIKAISHA SHINSHO

次世代による次世代のための

武器としての教養
星海社新書

星海社新書は、困難な時代にあっても前向きに自分の人生を切り開いていこうとする次世代の人間に向けて、ここに創刊いたします。本の力を思いきり信じて、**みなさんと一緒に新しい時代の新しい価値観を創っていきたい。若い力で、世界を変えていきたいのです。**

本には、その力があります。読者であるあなたが、そこから何かを読み取り、それを自らの血肉にすることができれば、一冊の本の存在によって、あなたの人生は一瞬にして変わってしまうでしょう。**思考が変われば行動が変わり、行動が変われば生き方が変わります。**著者をはじめ、本作りに関わる多くの人の想いがそのまま形となった、文化的遺伝子としての本には、大げさではなく、それだけの力が宿っていると思うのです。

沈下していく地盤の上で、他のみんなと一緒に身動きが取れないまま、大きな穴へと落ちていくのか？　それとも、重力に逆らって立ち上がり、前を向いて最前線で戦っていくことを選ぶのか？

星海社新書の目的は、**戦うことを選んだ次世代の仲間たちに「武器としての教養」をくばることです。**知的好奇心を満たすだけでなく、自らの力で未来を切り開いていくための〝武器〟としても使える知のかたちを、シリーズとしてまとめていきたいと思います。

2011年9月

星海社新書初代編集長　柿内芳文